# いま沖縄をどう語るか

ジャーナリズムの現場から

新崎盛吾／松元 剛／謝花直美
佐古忠彦／鎌倉英也

高文研

目次

はじめに　東京で「沖縄」を研究するということ
――法政大学沖縄文化研究所とは　大里 知子

## プロローグ　沖縄につながるルーツをたどる　新崎盛吾



## 第1章　日本復帰50年　誰のために何を伝えるか　松元　剛

## 第2章 「復帰」で「聴き取られなかった声」 謝花 直美

## 第3章　日本にとって沖縄とは何か　佐古 忠彦

## 第4章　問われる「沖縄リテラシー」　鎌倉　英也

## むすびにかえて　沖縄の施政権返還とは何だったのか　明田川 融

装丁＝商業デザインセンター・増田　絵里

# 1972年5月15日 沖縄返還の日

〈撮影：山城 博明〉

「新沖縄県発足式典」で式辞を読む屋良朝苗初代沖縄県知事。

発足式典が行われた那覇市民会館隣の与儀公園では、「沖縄の涙雨」と言われた土砂降りの雨の中、基地付き返還に抗議する「県民総決起大会」が開かれた。

◈はじめに

# 東京で「沖縄」を研究するということ
## ――法政大学沖縄文化研究所とは

●法政大学沖縄文化研究所 専任所員　大里 知子

沖縄の施政権が返還されて五〇年経った日本において、「沖縄」はどのように発信され、受容されているのか。法政大学沖縄文化研究所は、二〇二二年一一月二六日、新聞、テレビなどの現場で活躍されているジャーナリストの方がたに議論していただく場として、創立50周年記念シンポジウム「いま沖縄を語る言葉はどこにあるか―復帰50年目のジャーナリストたちの挑戦」を、東京都千代田区にある市ヶ谷キャンパスにおいて開催した。

当日は未だコロナ禍から脱した生活には戻っておらず、シンポジウム参加者は会場とインターネットのライブ配信とに分散するかたちであったが、シンポジウムの開催後、幸いにも大きな反響をいただくことができた。そこで、より多くの人びとに、このシンポジウムで論じられた内容をお伝えしたいという趣旨により、法政大学沖縄文化研究所の【叢書】の一冊として本書を刊行

法政大学沖縄文化研究所創立 50周年記念シンポジウムの案内

する運びとなった。

本書は、シンポジウム登壇者の発言を単に再現したものではなく、司会者やパネリストが当日の発言をベースにしながらも、より深く掘り下げて書き下ろした文章によって構成されている。

なお、シンポジウムの様子は、〈法政大学沖縄文化研究所 YouTube チャンネル https://www.youtube.com/watch?v=6PaY7jKfrZQ〉で配信している。

## ❖前身は中野好夫氏設立の「沖縄資料センター」

そもそも、なぜ法政大学に沖縄文化研究所（以下、沖文研と略）があるのか？　たびたびこのような質問を受ける。まずはその成立の経緯をたどってみたい。沖文研は、英文学者・評論家として著名な中野好夫氏が、一九六〇年に私財を投じて設立した「沖縄資料センター」の収集資料が一九七二年に法政大学に移管されたことを機に創立された。

中野氏と沖縄との関係は、一九五四年六月に、東京に在住していた沖縄出身学生が編集し出版された、『祖国なき沖縄』（日月社）の序文執筆を依頼されたことに端を発する。この年は一月に米国アイゼンハワー大統領が一般教書演説で沖縄を無期限に保有するとの方針を宣言し、沖縄の日本への「復帰」を願う人びとに衝撃を与えていたが、中野氏は沖縄出身学生から直接「なまの沖縄事情」を聞くに及び、自分たちがいかに沖縄の問題を「忘れていた」のかということに気付き、痛恨の思いに至ったという。

そして、「単なる同情論とか、感傷論というのではなく、はっきり私たち本土日本人の道義的責任として沖縄を考えなければならぬ」と、行動を起こす決意をした。中野氏が感じた「道義的責任」とは、明治・大正生まれの「本土」知識人にみられる、沖縄戦の多大な犠牲に対する贖罪の意識から生まれたものだと思うが、特に中野氏の場合には、旧制第三高等学校野球部の一年先輩で、沖縄戦で没した島田叡（あきら）沖縄県知事に対する思いもあったことだろう。

その後中野氏は、米国民政府による瀬長亀次郎那覇市長追放をめぐる問題をはじめとして、沖縄の問題を「本土」メディアに執筆するようになるが、その際に、基本的な資料さえ容易に入手することができない現状に愕然とする。当時は、「反米的」とみなされた者に対して沖縄への渡航は厳しく制限されており、地元紙の「琉球新報」や「沖縄タイムス」も、半月かかってやっと東京に届くような有り様だった。マスコミ各社も沖縄に関する問題を積極的に記事にしようという動きは弱く、一般市民はもちろん、「本土」において沖縄に関心を持つ人はごく少数に限られていた。

## ❖東京に沖縄の基礎資料の集積所を

中野氏はこのような状況を打破しようと、沖縄の声を直に「本土」に届けるために、市民の手で資料を集め、公開・利用する場として「沖縄資料センター」を設立した。この時のことを中野氏は次のように回顧している。

「これはなんとしても東京のどこかに、とにかくそこへさえ行けば一応の沖縄問題の資料はある。そしてそれらを誰でもが自由に利用できる施設ができなければウソだ。それもなくて、沖縄を知れ、沖縄問題に関心を抱けといったところで、どだい無理である」（『世界』一九六六年三月）

沖縄資料センター（以下、資料センターと略）の活動は、両親が沖縄出身で沖縄問題に強い関心を持っていた新崎盛暉氏の加入により、次第に軌道に乗っていった。新崎氏は東京都庁に勤めながら、まさに二足のわらじを履いて資料センターの活動をしており、有給休暇を利用して沖縄に赴き、行政機関、新聞社、教職員会、労働組合、沖縄県祖国復帰協議会（復帰協）などをまわって、諸団体から資料の提供をとりつけた。このような新崎氏の尽力により、資料センターには米軍統治下の沖縄の実情を示す基礎資料や、「本土」における「復帰運動」関係の資料が集積されていった。

はじめのうち、資料センターの利用者は沖縄出身者がほとんどで、一般的な関心は高くなかったが、少しずつ認知度も高まり、特に高校生や大学生など、当時学園祭などで盛んに沖縄問題を取り上げて討論会を開いていた「若い人たち」が増え、資料センターはさながら「共同討議の場」の体をなしていた。

しかし、一九六九年一一月の佐藤ニクソン共同声明で沖縄の施政権が米国から日本に返還されることが発表されると、資料センターをとりまく状況も一変した。沖縄への進出に商機があると判断した大企業や輸出業者などの来訪や問い合わせが相次ぐようになり、怒った中野氏が「エコノミック・アニマル用資料なし！」と書いた紙を入口に貼ることもあったという。このエピソードは、学生運動の場で声高に叫ばれる「沖縄への連帯」を、醒めた眼で見ていた「大人たち」の、沖縄への関心のあり様を端的に示していて、「本土」にとっての「沖縄」とは？ という今に続く問いを象徴的に映し出しているように思う。

### ❖「復帰」の年に法政大学に移管

一九七二年四月、「沖縄資料センター」資料が「中野好夫文庫」として法政大学に移管されることが決まった。資料センター閉室に至る詳しい経緯は省略するが、短い言葉で言うならば、外からの援助を得ることが出来ず、中野氏の私財と人脈だけで切り盛りしていた資料センターは、沖縄の「復帰」が決まった段階で一定の役割を終えたのだ、と中野氏が苦渋の決断をしたということだったのだろう。（詳しくは、「沖縄資料センターから法政大学沖縄文化研究所へ―中野好夫・新崎盛暉の格闘とその継承」『沖縄文化研究』四七号を参照されたい。）

それにしても、なぜ資料の移管先が法政大学だったのか。それにはさらに二人の人物が深く関わっている。一人は、成城学園での中高生時代に、戦後の「オモロ」（沖縄・奄美諸島に伝わる古代歌謡）研究を牽引した仲原善忠（ぜんちゅう）氏のクラスで教えを受けた中村哲（あきら）法政大学総長。もう一人は、仲原氏の没後にその「オモロ」研究を引き継いだ外間守善（ほかましゅぜん）文学部教授である。外間教授の働きかけと中村総長の決断により「沖縄資料センター」資料の受け入れと同時に、法政大学沖縄文化研究所が創立されることになった。ただ、中村総長（初代研究所長）は、沖文研の発足に際して次のように述べている。

「沖縄資料センターは戦後のアメリカ司政（ママ）下の政治、経済、社会にわたる時事的な資料が中心であって、思想、文化にわたるものも多数であったが、研究所として継承し、開設するにあたっては、学術機関としての側面を一そう強化することにした」（『法政大学沖縄文化研究所所報』第一号、一九七三年六月）。

これは、大学の附置研究所として、政治問題への対応よりも「沖縄の文化」に関する学術調査・研究に重点を置くという宣言ともみてとれる。

しかし一方で、日米間で決められた「復帰」の内容は、広大な米軍基地が残されたままという、沖縄の人びとが求めたかたちとは程遠いもので、東京において沖縄問題を考える拠点の必要性は、失われるどころか益々高まっていたということが現実であった。（なお、沖文研は、奄美諸島から宮古、八重山諸島にいたる琉球列島とその周辺地域の文化・社会を研究の対象としており、沖縄県内に限っても、諸地域を一様に論じることの問題について認識が無いわけではないのだが、ここでは「沖縄」と表現することをご了解いただきたい。）

## ❖沖縄と「本土」、相互交流を目指す

創立当時の沖文研について、「琉球新報」は次のように報じた。

「（法政大学沖縄文化研究所は）本土在住の研究者と沖縄現地の研究者の連携のもとに、新しい研究の方法論を討議してきた。それは、従来とかく本土の研究者は現地研究者の集めてきた資料を搾取するという批判を、相互の協力でどう乗り越えるかということでもあった」（一九七四年七月七日）。

実際に研究所の組織は、在京の研究者のみで構成されるのではなく、多くの沖縄・奄美在住研究者を含み、相互交流をしながら活動を行うことを重視してきた。これは沖縄の人びとが長くインフォーマント（情報提供者）の位置に押し留められがちになっていた研究のあり方を変えていこうとする試みだったと思われる。

## ❖変わりゆく沖縄と変わらない構造

一九七二年の「復帰」や、七五年に開催された沖縄国際海洋博覧会などを機に、沖縄県の各所で道路建設などのインフラ整備やリゾート開発が進み、観光業が県の重要産業となっていった。それとともに沖縄は、国内で「異国」を感じることができる「南の楽園」というイメージが定着した。しかしその反面、環境破壊が起こり、他の都道府県と同じような系列店が建ち並び、人びとの生活面での「本土化」は加速度的に進んでいるように見える。沖文研は、このように五〇年の間に大きく変貌した島のすがたや人びとの生活、言語などについて、フィールドワークの調査報告書や、『琉球の方言』の刊行という形で記録にとどめてきた。

このように変わりゆく「沖縄」に対し、日米関係の安定を口実に沖縄が過重な基地負担を強いられているという、五〇年間変わらない島のすがたもある。このような状態を、新崎盛暉氏は「構造的差別」と呼んだが、沖文研でもこの問題は繰り返し論じられてきた。先述したように、沖文研は創立当初、政治的な問題をダイレクトに取り扱うことを避ける傾向があった。しかしながら、二〇〇〇年以降は、次のようなシンポジウムなどを開催し（共催を含む）、沖縄が抱える問題について議論の場を設けてきた。

「日本にとって沖縄とは何か―」（二〇〇九年）

「普天間―いま日本の選択を考える―日米安保と環境の視点から」（二〇一〇年）

「『復帰』四〇年、これからの四〇年」（二〇一二年）
「沖縄の問いにどう応えるか─北東アジアの平和と普天間・辺野古問題」（二〇一四年）
「東アジアの平和をどう導いていくか─日本、中国、そして沖縄から戦後七〇年を問いなおす」（二〇一五年）
「普天間基地問題とメディア報道」（二〇一五年）
「沖縄は日本なのか─〈平和〉を軸として考える」（二〇一六年）
「東京・結・琉球　知らない・知りたい沖縄」（二〇一七年）

## ❖「復帰」五〇年、節目の企画は…

沖縄の施政権が日本に返還されてから五〇年目の二〇二二年、沖縄県内外で様々なイベントが行われた。創立五〇周年を迎えた沖文研も記念事業として、シンポジウムのほかに、HOSEIミュージアム企画展「沖縄を知り、考え、つながる」を開催し、沖縄の地元紙や首都圏の新聞だけでなく、共同通信を介して國學院大學博物館で開催された展示「うちなーぬゆがわりや　琉球・沖縄学と國學院」と併せて多くの地方新聞にも紹介記事が掲載され、在東京の大学での「復帰五〇年」関連展示として注目された。この二つの展示に共通していたのは、沖縄の「世替わり」を様々な側面からたどることで、沖縄の今を考えることにつなげようという構成にあったように思う。

一方、東京国立博物館では、「琉球の歴史と文化」にフォーカスし、主催：東京国立博物館、NHK、読売新聞社、文化庁、共催：沖縄県立博物館・美術館による「沖縄復帰五〇年記念　特別展『琉球』」が開かれた（のち、九州国立博物館でも巡回開催）。この催しは、東京、九州国立博物館のコレクションを中心に、琉球国の国王、尚家の宝物やアジア各地との交易を行った琉球の歴史を伝える文化財などを、沖縄県のみならず国内じゅうから集めた過去最大規模の展覧会と謳われた。

展示は、「万国津梁（しんりょう）　アジアの架け橋」「王権の誇り　外交と文化」「琉球列島の先史文化」「しまの人びとと祈り」「未来へ」の五章で構成され、「かつて琉球王国として独自の歴史と文化を有した沖縄」が、「明治以降の近代化や先の戦争という困難を乗り越え、現在もその歴史、文化を未来につなげる努力を続けている」ということの意義を、文化財を通して紐解（ひもと）こうとするものだった。

## ❖「見たい沖縄」と「見たくない沖縄」

このような「琉球文化」継承の努力に対して異を唱える人は、現在おそらくいないだろう。「本土」において大きな展覧会が開催されたことにより、琉球・沖縄の美術、工芸、祭祀などについて知る機会がつくられたことはとても有意義であったし、「沖縄」の人びとのなかにはアイデンティティを確認したり、「琉球文化」に誇りを感じた人もいたかも知れない。そして、多くの来場者が「ヤマト」（日本）や中国とも違う、「琉球」という異国情緒を楽しむことができたに違いない。ただ、それはこの展示が、琉球が日本に併合された「琉球処分」以後の歴史を、「明治以降の近代化や先の戦争という困難を乗り越え」というひと言で示し、主催者の意図はどうあれ、「本土」の人びとが「見たい沖縄」だけを展示したことによるものだろう。

他方で、現在沖縄が抱える様々な問題について、「本土」の人びとの関心は決して高いとは言えない。日々の生活のなかで、バラエティや旅行番組で取り上げられる「楽しい沖縄」はうってつけの癒しであり、だからこそ沖縄に観光に行きたいという気持ちにもなる。もし、何かのメディアで沖縄県と日本政府が法廷で争っているという報道を目にしても、深刻な話や難しい話は敬遠され、「沖縄はいつも、反対！　ばかり言っている」との印象だけが残る。

個人的な体験を述べると、「沖縄の歴史」と題した市民講座の場でさえ、沖縄の基地問題の現状やそれに由来する環境汚染などの話をしただけで、政治的な話をするべきではないとのクレームを受けたこともあった。これらは「本土」の人びとが「見たくない沖縄」なのだろう。もちろん、熱心に沖縄の問題に向き合い、考え、行動している人たちもたくさんいる。しかし、そのような人たちは残念ながらマジョリティではない。

## ❖「沖縄」が問いかけているもの

さて本書では、幾度となく「構造的差別」について言及される。一部の沖縄ヘイトを繰り返す人びとを別にして、ほとんどの「本土」に住む人びとは、自分には沖縄を差別する意識など毛頭ないと思っているだろう。しかし、「構造的差別」の根深い問題は、そのような人を含め、知らず知らずのうちに「差別」の構造のなかに組み込まれているという点にある。そのことに気付き、沖縄の問題を「他人ごと」ではなく「自分ごと」として考えて欲しいと、特に「本土」で沖縄に関する問題について語る人は事あるごとに訴えていることだろう。「沖縄問題は日本の問題だ」「沖縄をみることで日本が見えてくる」などのフレーズもこの五〇年の間、繰り返し叫ばれ、それに対して「沖縄」は「日本」を考えるための道具ではない、という批判もたびたびなされてきた。

沖縄が、政治・外交・軍事でも、研究・言論でも、一方的に「道具」や「材料」にされるのは「もうたくさんだ」としても、それでも、「民主主義」の国のなかで沖縄の問題を解決していくためには、圧倒的な数のマジョリティに「見たくない沖縄」を含めた「沖縄」を見て、考えてもらう必要がある。この現実をどうしたらよいのか。

本書に収められたジャーナリスト諸氏による「沖縄」への向き合い方、「沖縄」を伝えるための模索は多くのヒントを与えてくれる。様々に示唆に富む訴えのなかに共通しているのは、沖縄の歴史を理解することの重要性だ。

あたり前のことだが、現在沖縄が抱えている問題は突如発生したわけではなく、近代以降の歴史のひずみが蓄積され影響を与え続けている事象である。したがって、沖縄の歴史を知らないことには、なぜ問題が起きたのか、なぜ訴え続けているのか、その理由を理解することが出来ない。

これらは、先ほどの言葉を使えば「見たくない沖縄」ということになるかも知れない。

しかし、「復帰」から五〇年以上が経過した今、「見たくない」かどうかという以前に、「知らない」もしくは「知る機会がなかった」という人たちが増えてきているのが現状なのではないだろうか。これは「本土」でも「沖縄」でも同じことで、単に世代による意識差だけが原因ではなく、社会で起きていることに対する関心の高低や、リテラシー（知識・理解力）の違いによるものかも知れない。

## ❖さらなる「沖縄」を知る拠点として

そうだとすれば、東京において「沖縄」を知るための拠点の必要性は失われてはいないだろう。「琉球・沖縄」の誇るべき文化とともに、その歴史についても理解を広げる努力を担う場所が求められる。法政大学沖縄文化研究所は、今後も「沖縄資料センター」以来の方針を継承し、沖縄関係の文献を揃え、誰でもが自由に利用できる施設として、その役割を果たしていきたい。本書によって多くの方に沖文研の存在を知っていただく機会になれば幸いである。

次なる沖縄の「世替り」、もしくは転換点はいつやってくるのだろうか。そのきっかけが絶対に「有事」であってはならない。人びとが安心して暮らせる「沖縄」の回復のために、日本という国の一県として存在する沖縄の問題を、「南方」の「ずっとむこう」のこととして、自分とは関係ないと思わないようにするための取り組みを模索していきたい。

＊

最後に、シンポジウムでの報告だけでなく、本叢書の刊行にもご協力いただいた新崎盛吾、松元剛、謝花直美、佐古忠彦、鎌倉英也の諸氏にあらためて感謝の意を表するとともに、編集の労をとってくださった高文研の山本邦彦氏に深くお礼を申し上げたい。

【筆者：おおざと・ともこ＝一九六八年生まれ。法政大学沖縄文化研究所准教授　専任所員。沖縄文化研究所で調査・研究、資料収集などを続ける。市民にも開放しながら学生履修授業として開講している「総合講座　沖縄を考える」の企画・運営にも携わっている。】

プロローグ

# 沖縄につながるルーツをたどる

新崎 盛吾

【あらさき・せいご】1967 年生まれ、沖縄県出身。共同通信社記者、新聞労連元委員長。法政大学リベラルアーツセンター兼任講師。記者を目指す大学生らの就職支援活動に取り組む「就活支援ゼミ」（日本ジャーナリスト会議、報道実務家フォーラムなど共催）講師、「ジャーナリストを目指す日韓学生フォーラム」実行委員、「週刊金曜日」と連携した学生向けの企画「金曜ジャーナリズム塾」事務局長などを務めている。

## ❖一文字違いの名前

法政大学沖縄文化研究所から、「創立50周年記念シンポジウム」で開催するパネルディスカッションのコーディネーターを依頼された時、喜びと同時に若干の戸惑いがあった。かつて日本新聞労働組合連合（新聞労連）の委員長だった時期に、討論のコーディネーターをよく務めていたことや、四年前から法政大学で沖縄戦後史の授業を始めたことなどを評価していただけたのかと考えて、名誉に感じたのは事実だ。

シンポジウムのタイトルは「いま沖縄を語る言葉はどこにあるのか―復帰50年目のジャーナリストたちの挑戦」であった。登壇する四人のパネリストは、いずれも沖縄報道にさまざまな実績を残してきた方々だ。

私は共同通信社の記者として三〇年以上働いてきたが、沖縄に赴任するどころか、関連の取材や報道に携わった経験もほとんどない。沖縄の戦後史や現代史の研究者として知られ、多くの著作を残した父、新崎盛暉（あらさきもりてる）の存在感があまりにも大きく、沖縄に関わることを意図的に避け続けてきたためだった。

盛暉は、歴代の沖縄県知事だった大田昌秀、稲嶺惠一両氏らとともに、沖縄文化研究所の「創立40周年記念シンポジウム」に登壇している。いわば沖縄研究の第一人者だ。私が沖縄関係の取材で名刺を差し出すと、相手の口からは必ずと言っていいほど父の名前が出た。名前の最初の一

沖縄本土「復帰」40周年記念シンポジウム「『復帰』40年、これからの40年」に登壇した（右から）大田昌秀、新川明、新崎盛暉、稲嶺惠一の４氏（2012年11月25日）

文字までが一緒なので無理もないことなのだが、いつまでも父の影響下から抜け出せないような悔しさを感じていた。

果たして私が適任なのか。コーディネーターの依頼は引き受けたものの、その日が近づくにつれて緊張感が増してきた。しかも、パネリストが冒頭に一五分程度の基調講演をする形式のため、私にも簡単な講演の依頼が追加された。さて、何を話そうか。しばらく悩んだ末に、長めの自己紹介をすることにした。これは法政大学の授業でも最初に話す家族の話だ。

### ❖沖縄で生まれ育った祖父母

私の両親は、ともに沖縄にルーツを持つ。祖父母の代までさかのぼれば父方と母方の四人全員が、沖縄で生まれ育っている。戦前の沖縄では、南米やハワイなど海外への移民が知られているように、生活のために沖縄を離れる例は珍しくなかった。県内には旧制中学を卒業した後の進学先や就職先が少なく、先に渡航した親戚を頼って、東京や大阪などに出る者も多かった。父方の祖父、新崎盛忠（せいちゅう）、母方の祖父、吉田嗣延（しえん）は、ともに旧制中学を卒業した後、就職や進学のために本土に渡った。私の家族が歩んだ道は、ある意味で、戦前の貧しかった沖縄が戦後の米国施政下を経て、日本復帰や基地反対運動に至る歴史の流れに呼応しているとも言える。

盛忠は一九〇四年に那覇市の首里で兄弟姉妹一一人の二男として生まれ、沖縄県立第一中学校を卒業。代用教員として勤務し旅費や学費をためた後、上京した。

父の著作（『私の沖縄現代史』岩波書店二〇一七年）によると、中学時代は成績が良く、特待生で学費を免除されていたというが、当時は一般的に長男しか大学進学を認められない封建的な時代だった。盛忠は東京で専売局に勤めながら日本大学二部の予科に進学するが、生活と学業の両立が難しく、中退せざるを得なかったという。

祖母のタヲも那覇市で生まれ、市内の小学校で教員をした後、結婚のために上京した。戦後は千葉市の自宅で編み物教室を開き、盛忠の死後に故郷の沖縄に戻って晩年を過ごした。

## ❖東京で生まれた父

盛暉は一九三六年に東京で生まれた。都立小山台高校に入学するまでは反米愛国主義の少年だったと述懐しているが、サンフランシスコ講和条約の発効で沖縄が日本から切り離された一九五二年四月、全校生徒が万歳三唱をして日本の独立を祝ったことへの違和感から、自らのルーツである沖縄に目を向け始めた。

東京大学文学部社会学科に進学し、沖縄をテーマに卒業論文をまとめ、琉球大学の助手や地元紙の記者として沖縄で就職する道を模索するが、六〇年安保闘争に積極的に関わった経緯もあり、米国施政下の沖縄への渡航は難しかったという。

東京都庁に就職するも、沖縄への思いは断ち難く、福祉事務所などで勤務する傍ら、評論家の中野好夫氏が設立した「沖縄資料センター」で活動を続けた。六〇年代半ばには、岩波書店の月刊誌「世界」に「新田暉夫」のペンネームで原稿を寄せたり、地元紙の沖縄タイムスに寄稿したりするようになり、次第に研究者としての知名度を高めていった。

沖縄の日本復帰から二年後の一九七四年、沖縄大学教員の職を得て念願の沖縄移住を果たし、二〇一八年三月に他界するまで、沖縄の戦後史や現代史をテーマに研究、実践活動を続けることになる。

## ❖母方の祖父、吉田嗣延

戦前は沖縄県庁の職員だった祖父の吉田嗣延は、戦時中に中国戦線から南洋諸島のブーゲンビル島などに従軍した後、九死に一生を得て生還。戦後は東京に拠点を移し、外務省や総理府（今の内閣府）の官僚として、沖縄と本土の橋渡し役や日本への復帰運動の支援などに尽力した。戦前の沖縄から島根県の松江高校に進学し、一九三五年に奇しくも、盛暉と同じ東京帝国大学文学

沖縄問題解決促進協議会の一員として佐藤栄作首相〈右端〉に要請をする吉田嗣延氏〈左端〉(1965年3月/沖縄県公文書館所蔵)

部社会学科を卒業した。沖縄復帰後に初代知事を務めた屋良朝苗氏は、「沖縄の戦後三〇年の苦難の日々を最もよく体得している証人の一人」と書き残している。

嗣延の著作『小さな闘いの日々―沖縄復帰のうらばなし―』(文教商事一九七六年)によると、一九四〇年に日本軍に召集され、一九四六年に復員した時には、約四〇〇〇人の部隊の生き残りが三〇人足らずになっていた。首里にあった実家跡は「一面荒涼とした焦土」と化しており、両親の遺骨すら見つからなかった。復員直後の四六年七月には、米軍の占領で渡航が認められていなかった沖縄に、熊本から漁船をチャーターして密航し、沖縄民政府や米軍に疎開者や復員兵の帰郷を直訴したこともあったという。

嗣延は四六年九月、沖縄県東京事務所長に任命され、東京に移り住んだ。最も精力的に取り組んだのは、本土在住の沖縄県出身者、特に在京の留学生に対する援助だった。資金集めに奔走して設立した東京都狛江市の学生寮「南灯寮」は、後に設立された財団に運営が受け継がれ、今も上京した多くの学生が利用している。

沖縄県東京事務所は、連合国軍最高司令官総司令部(GHQ)による内務省の廃止とともに閉鎖され、業務は外務省に移された。嗣延は外務省管理局総務課沖縄班長に就任し、その後も総理府南方連絡事務局第二課長、南方同胞援護会事務局長、沖縄協会専務理事など、沖縄を巡る政治交渉や復帰問題に関わる役職を歴任した。一九八九年に七八歳で亡くなった。

東京都世田谷区若林にあった自宅は、沖縄県出身者が訪れる東京の「駆け込み寺」のようになっていた。私の幼い頃の記憶でも、離れには日常的に下宿生が住み込み、押し入れにはまるで旅館のように、大量の布団があった。古くなった布団を家族が処分しようとした際、祖母の吉田善子（よしこ）が「学生が来た時に困るから」と、難色を示したことを覚えている。

嗣延は吉田茂首相の政治姿勢を評価し、保守的な立場から北方領土や小笠原諸島の返還問題にも取り組んでいた。娘婿に当たる盛暉と政治的には正反対の立場だったが、沖縄の未来を考える点では一致していた。盛暉が「『二人でいる時はどのような話をするのか』って、周りによく聞かれる」と苦笑いしていたことを思い出す。

男の初孫だったこともあったのか、祖父はよく遊んでくれた。沖縄にいた小学校の頃はキャッチボールの相手をしてもらい、沖縄協会の視察の離島訪問にも連れて行ってもらった。中学で東京に出てきてからは、寿司を食べに連れ出してくれた。

余談だが、「駆け込み寺」だった若林の家と敷地は嗣延の死後、金融機関の差し押さえを受けて裁判沙汰の末、二〇一三年に手放さざるを得なかった。ある学校法人の運営資金の融資が焦げ付き、連帯保証人として代理返済を求められたことがきっかけだった。

嗣延の死後に契約が発覚したため真偽は分からないが、若者の教育に尽力した生き方を体現した結末だったのかもしれない。

## ❖対馬丸と同じ船団に乗船

吉田（旧姓・玉元）善子は戦前、首里で小学校の教員をしていた。嗣延と見合い結婚をしたのは二九歳の時で、当時としては晩婚だった。顔合わせをする前に周りが勝手に結婚を決めたと、娘にこぼしていたらしい。

善子の姉の佐久川千代（さくがわちよ）は、沖縄戦の悲劇として知られる学童疎開船「対馬丸」に引率教員として家族で乗船し、一家全員が命を落としている。戦時中の一九四四年八月、沖縄から九州に向かう途中の悪石島（あくせきじま）沖の海上で、米潜水艦の魚雷攻撃を受けて撃沈され、多くの学童を含む約一五〇〇人が犠牲になった事件だ。

善子は当時二歳だった私の母、恵子（けいこ）と、四歳だった伯母の明子（あきこ）、中学生だった嗣延の末弟嗣雄（つぐお）を連れて、対馬丸と同じ船団の「暁空丸」に乗っていた。明子は夜中に甲板に集められた時、海に投げ出されても離れ離れにならないように、布ひもで嗣雄と結びつけられたことを、漆黒の夜の海の光景とともに覚えているという。

どの船に乗るのかは、勤務先の小学校ごとに決められており、歴史の歯車が一つ違っていれば、私はこの世に存在しなかったことになる。

## ❖父の沖縄大学赴任

両親は沖縄関係の人脈の中で知り合い、一九六六年に結婚した。翌六七年一〇月に私は長男として、東京で生まれた。母は当時、出版社の「小学館」で学年誌の編集者をしていた。共働きをしながらの子育てはかなり大変だったようだ。その頃、父にどこかへ連れて行ってもらった記憶はほとんどない。

沖縄は一九七二年五月に日本に復帰し、父は二年後に沖縄大学の教員となり、家族で沖縄に移住した。七歳だった私は、那覇市の識名小学校に入学した。教育面でも日本との同化が進められ、学校で方言を使うと、教師が標準語で話すように注意する時代だった。

当時の沖縄大学は経営が苦しく、沖縄国際大学と統合する動きが進んでいた。父から転職の話を聞いた嗣延は「娘に生活の不自由はさせないと約束したのに、つぶれる大学に転職するとはどういう了見だ」と怒り、大反対したという。

沖縄では一九七八年七月三〇日の早朝、米統治下の名残で右側通行だった車が左側通行に変わる通称「ナナサンマル」の現場を、父に連れられて見に行ったことがある。「歴史的な瞬間だぞ」と言われたが、一〇歳の自分にはまだ十分に理解ができなかった。ただ、夜中に父と二人で自宅を抜け出す体験は、冒険心を大いに刺激した。

那覇市の国道58号線にかかる歩道橋の上で朝日が昇るのを眺め、午前六時ごろから警察官の誘導で、車が右車線から左車線へ移っていく様子は、なんとも奇妙な光景だった。当時はボクシングの世界チャンピオンだった具志堅用高氏が「人は右、車は左」と呼びかけながらパンチを繰り出すCMが繰り返し流され、今も鮮明な映像が記憶に残っている。

### ❖中学から東京で生活

私は小学校の六年間を沖縄で過ごした後、一九八〇年四月に母と当時四歳の弟とともに、上京した。私の進学が主な理由だったが、沖縄移住で出版社を辞めざるを得なかった母には、編集の仕事を再開したいという思いもあったようだ。

父は沖縄に残り、約五年半の逆単身赴任の生活を送ることになった。沖縄大学ではその後、学長や理事長として経営を担い、大学がつぶれることはなかった。当初は「大学がつぶれても、俺がつぶれるわけじゃないし」と粋がっていたが、後には「俺には商売の才覚もあるんだぞ」と、得意気に話していたことを思い出す。

弟の盛太(せいた)は小学四年の時、母とともに再び沖縄に戻り、中学、高校時代を過ごした。国際基督教大学（ICU）に進学するために再び上京したが、卒業後は大学時代に出会った同級生とともに沖縄に戻って結婚し、二人の娘が生まれて、今は沖縄尚学高校で教師をしている。

父と過ごした時間が長いせいか、弟の沖縄問題への見方には父の影響が色濃く反映し、本土の視点が強い私とは価値観が少し違う気がする。

ＩＣＵつながりで、親族をもう一人紹介しておきたい。盛忠の兄、盛英（せいえい）の長女として生まれた宜野座（ぎのざ）（旧姓・新崎）映子（えいこ）である。長男だった盛英は沖縄戦を生き延び、映子は米国施政下の戦後の沖縄で生まれ育った。

米軍機が小学校に墜落し、児童一一人を含む一八人が死亡した一九五九年の「宮森小学校米軍機墜落事故」や、集団下校中の中学生が横断歩道で信号無視の米軍トラックにはねられて死亡し、軍法会議で米兵に無罪判決が出た一九六三年の「国場君事件」など、米国施政下の不条理を同時代で体験し、反発を強めた。高校卒業後に当時の「国費・自費留学制度」を利用し、学費の安かったＩＣＵに進学。琉球政府発行の旅券を取得して上京した。

学生運動が盛んだった一九六九年一〇月、大学側が導入した機動隊員に盾で頭を殴られ、瀕死の重傷を負って入院。後に東京都などに損害賠償を求めて提訴し、機動隊員の暴行が認定され、都が慰謝料を支払う勝訴が確定した。

けがの後遺症に苦しみながらも、復帰後の沖縄で私の弟と同じように高校の英語教師として生きてきた。辺野古の基地建設反対運動などに、今も関わり続けている。

## ❖沖縄に向き合う覚悟

父は一九八九年から一年間、法政大学と津田塾大学で講義を担当し、私と東京で二人暮らしをしていた時期がある。早稲田大学四年生だった私は、新聞記者を目指して就職活動をしていた。今は姿を消したマスコミ向けの就職予備校もあった時代で、競争率が高く厳しい就職戦線だった。

父は熱心に応援し、私を連れて朝日新聞社や共同通信社の知り合いに会いに行ったり、作文の指導までしてくれたりした。父が大学時代に地元紙の記者を目指していたことは、後に読んだ著作で知った。果たせなかった夢の期待を掛けられていたことに、当時は全く気付かなかった。

私は共同通信社に入社し、山形、千葉、成田の各支局で計九年間を過ごした後、本社で警視庁公安や国土交通省などの取材を担当し、社会部系の記者として生きてきた。前述のように、沖縄との関わりはできるだけ避けてきた。


ところが二〇一四年七月、会社を二年間休職して、新聞業界の約二万人をまとめる新聞労連の委員長を務めることが決まった。新聞労連は毎年春と秋に全国の若手記者とともに沖縄を訪れ、米軍基地の返還運動などにも関わる。記者の立場よりも、新聞業界を代表する労働組合の立場でデモに参加し、集会での発言も求められる。

私は覚悟を決めて、辺野古の基地建設反対運動の現場でマイクを握ったり、沖縄に連帯する東京の集会で発言したりするようになった。沖縄の現状について、講演を依頼されることも増えた。

里帰りした際に新聞労連の活動の話を聞く晩年の父は、どこか嬉しそうだった。沖縄に向き合うことを決めた選択を、前向きに受け止めてくれたのだろうか。このような親孝行もあるのかと、不思議な感覚にとらわれた。

父は大学の教員であり研究者であり、一方で活動家でもあり、新聞記者を目指していた時期もあった。通信社記者の私と教員の弟は、父の思いを次の時代に引き継いでいく役割を、分け合いながら担っているように感じる。

祖父、吉田嗣延は沖縄に生まれながら東京に拠点を移して活動し、父、新崎盛暉は東京で生まれながら沖縄で人生を終えた。ともに沖縄の将来のために尽くした人生だった。

私と弟も本土と沖縄から、それぞれの視点で沖縄の行く末を見定めていきたいと思う。

法政大学沖縄文化研究所が主催した東京での「新崎盛暉さんの業績を振り返り引き継ぐ会」の案内（2019年３月16日開催）

第 1 章

# 日本復帰50年
# 誰のために何を伝えるか

松元 剛

【まつもと・つよし】1965年沖縄県生まれ。琉球新報社常務取締役広告事業局長（2022年6月まで編集局長）。記者として通算9年の基地担当を経験、主に普天間飛行場問題、日米地位協定問題、米軍再編など基地報道に携わる。共著に『軍事基地と闘う住民たち』（ＮＨＫ出版 2003）『検証地位協定 日米不平等の源流』（高文研 2004）『徹底検証 安部政治』（岩波書店 2016）『沖縄という窓 クロニクル 2008 － 2022』（岩波書店 2022）『観光コースでない沖縄　第5版』（高文研 2023）など。

## ❖変わらぬいびつな沖縄施策

二〇二二年五月一五日、沖縄の施政権が返還され、日本に復帰して満五〇年の節目を迎えた。二七年間の米軍統治が終止符を打ち、平和憲法の下に復帰してから半世紀を超えてなお、広大な米軍基地と訓練、事件事故を引き起こす米兵の存在が県民生活をかき乱し、県民の生命、財産を脅かす「基地の島・ＯＫＩＮＡＷＡ」の実情はほとんど変わらない。女性の性被害は後を絶たず、ここ四半世紀の歴代政権は沖縄の民意を無視し、普天間飛行場の名護市辺野古移設を伴う新基地建設を推し進めている。日本の「国益」と言うより、対米従属にとらわれた、時の「政権益」が最優先され、苦難の近現代史と背中合わせの平和を願う民意が宿る「沖縄県益」は力ずくで片隅に押しやられてきた。

日本政府は「外交と安全保障は国の専管事項」と言い張り、辺野古新基地建設に象徴されるように沖縄へ基地を押し付け続けてきた。県民生活と直結するにもかかわらず、沖縄県はかやの外に置かれ、日米合意の名の下で推進されてきた安全保障政策や沖縄の基地施策には、沖縄県民、国民の目や耳を遠ざけ、真実を明かさなかったり、虚構をはやし立てたりするフェイク、そして政府に抗う沖縄県民、メディアに対するヘイト言説もはびこっている。日米両政府の在沖米軍基地に関する合意には、逆の取り決めや偽りが潜んでいないことの方が少ないとの見方さえある。

沖縄の民意から目を背け、基地問題の真相を覆い隠しながら、県民、国民の知る権利をないがしろにする――。沖縄の基地重圧が温存される構図である。辺野古新基地を拒む沖縄県と工事を強行する国の訴訟では、司法まで沖縄の民意を一顧だにしない判決が繰り出され、民主主義、地方自治の核心を問う県側の敗訴が続いている。司法が国益を補完する場と化しているように映る。

時代は移ろい、軍事・外交、安全保障政策、沖縄の基地施策のうそやまやかしに対し、メディアのみならず、市民運動の担い手が対抗し、真実を暴く、あるいは肉薄する手段が広がってきた。情報公開制度やソーシャルメディア（ＳＮＳ）上でやりとりされる核心を突いた精度の高い情報の発信と受信の普及もあれば、綿密な調査報道もそれに当たるだろう。為政者やそれに親近感を抱く勢力が発するフェイクを正し、あくまでファクトを追求するメディアの役割は重要性を増している。

国土のわずか〇・六パーセントの沖縄県土に、国内の米軍専用基地の七割以上を集中させる日米両政府の民主主義を軽視したいびつな沖縄施策に迫り、彼らにとって不都合な真実を暴くことは、日本復帰五〇年を超えてなお、沖縄の新聞の大きな役割であり続ける。

## ❖増すきなくささ

二〇二二年二月にロシアがウクライナに侵攻した後、日本の政治家の中から、中国の軍事大国化をにらんで「台湾有事」を想定した猛々（たけだけ）しい発言が臆面もなく繰り出されるようになった。「敵基地攻撃論」「核共有」「台湾有事は日本有事」「防衛予算ＧＮＰ比二％への倍増」――などが独り歩きしている。外交、話し合いによる平和構築の営みは後景に追いやられている。先島諸島をみると、二〇一六年に与那国島に陸上自衛隊の沿岸監視隊、二〇年にミサイル部隊が配置され、二三年春には石垣島にミサイル部隊の駐屯地が築かれた。沖縄は軍事要塞化の一途をたどっている。ポスト復帰五〇年の厳しい現実だ。

日米の〝軍事同盟〟が、米中枢同時多発テロ後の非対称の脅威への対処から対中国包囲網にシフトし、二〇一〇年代中盤から、陸上自衛隊は与那国島、宮古島、石垣島に新たな駐屯地や弾薬庫を設けてきた。さらに、岸田政権は、国会審議の手続きもないまま、二〇二二年一二月、「国家安全保障戦略」「国家防衛戦略」「防衛力整備計画」の安保関連三文書を閣議決定した。敵基地攻撃能力の保有を明記し、長射程の米国製巡航ミサイル「トマホーク」の二〇二六年度内の配備計画を前倒しするなど、専守防衛をかなぐり捨てた安保政策の大転換が進んでいる。

政府は安保関連三文書に基づき、二三年度予算で台湾に最も近い与那国島に地対艦ミサイル部隊を配置し、駐屯地を拡張する。有事の際、敵の指揮命令系統を混乱させる「電子戦部隊」も新たに編成するなど、「実戦」を想定した部隊が配備される。島民に一切知らせずに発表されたミサイル部隊配備をめぐり、二〇一五年に始まった自衛隊駐留に賛成してきた保守系の与那国島民からも、反対や強い戸惑いの声が上がっている。

二〇一三年ごろから米本国、沖縄と奄美などで「離島奪還訓練」が繰り返されてきた。日中、台湾の間で領有権問題を抱える尖閣諸島が想定されるが、沖縄の先島諸島や奄美など有人島も対象とされてきた。閉ざされた島での戦闘は攻める側へ有利に働く。侵攻されたら敵に島をいったん占領させた上で自衛隊などが逆上陸して島を奪い返す戦いが「離島奪還」だ。住民がいる島で奪還作戦が実行に移され、軍民が混在した戦闘状態に陥れば、どれほど悲惨な状況になるかは沖縄戦が既に実証している。

「離島奪還」の主な目的は領土・領海の防衛であり、住民の安全確保は二の次だ。自衛隊内部では島の全滅さえ想定されている。与那国など先島諸島の住民が抱く自衛隊増強への懸念を踏まえてか、防衛省は住民が避難するシェルター建設を検討しているが、島民にとっては気休め以下の弥縫策（びほうさく）と言うしかない。

一九八二年に起きたフォークランド紛争で、支持率低迷にあえいでいたサッチャー英首相はアルゼンチンの侵攻に対抗して、遠く離れた小さな領土を守る戦争に踏み切った。英本国には戦火が及ぶことがない「遠隔地の戦争」はイギリスのナショナリズムを高揚させ、サッチャー政権の支持率を一気に押し上げた。安倍晋三氏が最初の政権樹立前の二〇〇四年にイギリスに送った腹心の下村博文衆院議員（元文科相）らが中心となった視察団は、「フォークランド紛争を機に英国民が誇りを取り戻し、『自虐偏向教科書の是正』などの改革へ続いた」と評価する報告書を出していた。本土、首都圏から離れた日本の遠隔地とはどこか。台湾有事の最前線に立たされかねない沖縄がまず、浮かぶだろう。万が一、有事になるなら、沖縄が標的になりかねないが、一四七万余の生身の県民が暮らしていることは、日本の統治機構や大半の政治家の目には映っていないのではないか。きなくささが増す中、沖縄の基地負担は物理的にも心理的にも増している。

不条理が横たわる沖縄に根差す県紙の一翼を担う琉球新報にとって、基地に接して暮らす住民の命の重さが、日本本土や欧米の基地周辺住民に比べてあまりにも軽く扱われている二重基準を改め、人権や生活をむしばむ基地の弊害を少しでも改善させていく使命に変わりはない。日本復帰五〇年を機に、琉球新報の基地報道の主な取り組みを振り返りながら、「誰のために何をどう書くのか」という命題、沖縄の基地ジャーナリズムの軸足とは何かを照らしたい。

## ❖「手段にされてきた沖縄」の陰影

一九七二年五月一五日、当時の那覇市民会館で開かれた「新沖縄県発足式典」で、この日、琉球政府主席から初代沖縄県知事に就いたばかりの屋良朝苗氏が式辞を読み上げた。沖縄返還・日本復帰の悲願が成就した喜びは控えめに表し、沖縄が本土防衛の踏み石にされる構図を変える決意を語った。「沖縄がこれまでの歴史上、常に手段として利用されてきたことを排除して、県民福祉の向上発展を至上の目的とし、平和でいまより豊かでより安定した希望のもてる新しい県づくりに全力を挙げなければならないと思います（以下略）」

「歴史上、常に手段として利用されてきた」という言葉に、沖縄の近現代史を貫く濃い影が刻まれている。

ほぼ終日、強い雨が降っていた沖縄返還の日、私は那覇市内の小学校の一年生だった。朝の会で担任の先生が「きょうは沖縄にとって特別なお祝いの日です。沖縄はアメリカから日本に戻りました」と話し、「祖国復帰」の文字を黒板いっぱいに書き、「そこくふっき」とルビを振った。全県の児童生徒にお祝いの紅白まんじゅうやニコちゃんマーク入りの文具セットが配られた。加えて、私の小学校だけ、真向かいにあった電電公社の拠点から全児童に一五分タイマーが配られた。子ども心に「とても良い日なのだ」と思った。

この日、琉球政府職員から県職員に身分が替わった父親は、新沖縄県発足式典の運営に携わった後、那覇市民会館の隣にある与儀公園で催された基地付き返還に抗議する「県民総決起大会」に、県職員労働組合員として参加した。紅白まんじゅうを食べていた私は、家に戻ってきた父に総決起大会の会場に連れ出された。土砂降りの中、父も私も瞬く間に全身ずぶ濡れになった。

父親は一九一六（大正五）年生まれ。四九歳で一人っ子の私が生まれた。東京の夜間大学を出た後、南洋群島のパラオ島に渡り、かつお節製造会社などに勤め、太平洋戦争が激しさを増した一九四三年、現地で日本軍に召集された。沖縄出身の同世代の友人たちと共にペリリュー島の守備隊に従軍するはずだったが、不注意で集合時間にほんの数分遅れた。激怒した上官に顔と頭から流血する鉄拳制裁を加えられ、「たるんだやつは連れていかん」とパラオ居残りを命ぜられた。

看護兵として二人の傷病兵を左右の手に抱えて移動中、米軍の戦闘機の機銃掃射に遭った際、地面に伏せた父の右肘をこすった銃弾に撃たれた兵士は叫び声も上げずに息絶えた。ほんの少し位置がずれていれば、父も死んでいたかもしれない。ペリリュー守備軍は玉砕し、沖縄出身の多数の友人は一人も帰ってこなかった。父は七四歳で亡くなる直前まで、年一度の南洋群島の墓参団に欠かさずに参加していた。

太平洋戦争、沖縄戦は今に続く基地の重圧の原点、基地問題は沖縄戦と地続きとよく言われる。軍事担当記者や編集委員として主に基地問題を追う期間が通算九年に及び、記者としての歩みの重要な時期を忙殺された私自身、父親がかろうじて南洋群島の戦火を生き抜いていなければ、沖縄で生を受けていない。「沖縄戦と基地問題は地続き」という認識は、私の記者としての歩みの中でも胸の奥に刻まれていたように思う。

基地付き返還に抗議する県民総決起大会で、父に肩車されて周囲を眺めると、数千人の参加者がひどく怒っていて、隊列を組んで行進していた。「なぜ、たくさんの大人が怒っているのだろう」と思った記憶がある。翌日の琉球新報、沖縄タイムスには、復帰当日の豪雨を「沖縄の涙雨」と表現する県民の声が載っている。小児喘息もちだった私は、大雨に打たれて体が冷え切り、その夜にひどい発作を起こした。日本復帰当日の最も鮮明な記憶は、眠れないほどの息苦しさと「ぜぇ、ぜぇ」と全身に響いた喘鳴(ぜんめい)に覆われている。

## ❖同床異夢の「復帰五〇年式典」

沖縄全域が五〇年前の沖縄の施政権返還（日本復帰）当日を想い起こさせるような強い雨に見舞われた二〇二二年五月一五日午後、宜野湾市内で開かれた沖縄県と政府共催の「沖縄復帰五〇周年記念式典」は、基地重圧の陰影よりも明るい光を印象付ける進行が目立った。「基地の島・ＯＫＩＮＡＷＡ」の歩みをたどった映像では、沖縄戦後の米軍による住宅地や農地の強制接収が詳しく描かれた一方、沖縄返還後は、道路などの社会資本整備の進展や一〇〇万人台だった観光客数が、新型コロナウイルス禍が到来する前年の二〇一九年に一〇〇〇万人の大台を超える伸びを示すなど、沖縄の経済振興が進んだ側面が強調された。

玉城デニー知事は式辞で、半世紀がたってもなお「県民は過重な米軍基地負担を強いられている」と訴え、基地問題の解決と「県民が真に幸福を実感できる平和で豊かな沖縄の実現」を強く求めた。知事は、名護市辺野古の新基地建設断念などを求める「新たな建議書」を作成し、首相に手渡したことに触れ、「県民が渇望し続けている本土復帰の意義と恒久平和の重要性を国民全体で共有してほしい」と要求した。だが式辞には辺野古新基地の断念を求める言葉はなく、復帰五〇年の歴史的節目に政府に直接、沖縄の民意をぶつける機会を自ら逸し、インパクトに欠けた。

一方、岸田文雄首相は「基地負担軽減に全力で取り組む」と述べたが、前段で「日米同盟の抑止力を維持しつつ」の文言を入れることを忘れなかった。観念的で実態がつかみづらい「抑止力」の名の下、復帰五〇年が過ぎてなお、日米安保体制の要の役割は沖縄に担わせるという政府の認識を浸透させる思惑があったのだろう。

式典で岸田首相と令和天皇の言葉に引っ掛かるものがあった。ウチナーンチュの血のにじむような取り組みが原動力になったはずの沖縄返還、復帰を巡り、「日米両国の友好と信頼」を復帰実現の要因に挙げたことだ。祖父である昭和天皇が発した「天皇メッセージ」が大きく影響し、一九五二年四月二八日、サンフランシスコ講和条約の発効によって沖縄は日本から切り離された。沖縄が米軍支配下に置かれた史実を脇に置き、「日米の友好と信頼」を復帰実現の主要因に掲げたのは政権の意を汲んだからだろうが、沖縄県民の違和感に気付く想像力を働かせる機能が今の永田町・霞ヶ関にはないことを照らし出していよう。隣に座った玉城知事と岸田首相、そして皇居からオンラインで登場した天皇の三者の言葉はまさに同床異夢だった。

会場全体で「いったいこの式典は何を打ち出したいのだろう」という空気感が漂っていた。五〇年前の「新沖縄県発足式典」でも、舞台に立った県立那覇高校合唱部が繰り出す伸びやかな歌声に、ひときわ大きな拍手が注がれたが、それは式典全体への皮肉にも映った。

## ❖深まる構造的差別

日本復帰を半年後に控えた一九七一年一一月一七日、琉球政府の屋良朝苗主席が政府に、「復帰措置に関する建議書（屋良建議書）」を提出しようとした。沖縄の歴史について「あまりにも、国家権力や基地権力の犠牲となり、手段となって利用され過ぎた」と指摘し、沖縄のことは沖縄が決める「自己決定権」の確立を求めるはずだった。だが、政府と国会に建議書を届けようとした屋良主席が羽田空港に到着する直前、衆院特別委員会は、自民党が主導して復帰後も米軍が基地を自由使用できる沖縄返還協定承認案を強行採決した。沖縄選出の瀬長亀次郎、安里積千代の両代議士の質疑もなくなった。憤慨した屋良主席は破れた草履を意味する「弊履（へいり）」を使い、「沖縄県民の気持ちと云（い）うのはまったく弊履の様にふみにじられる」と日記に記した。

玉城デニー県政は復帰五〇年に合わせ「平和で豊かな沖縄の実現に向けた新たな建議書（新建議書）」を庁議で決定し、復帰五〇年式典前に岸田首相に手渡した。今なお残る課題の解決と、県民の望む将来像を示し、平和で豊かな沖縄の実現に向けた政府への要望をまとめた。最も特徴的なことは、沖縄に負担を押し付ける基地問題を「構造的、差別的」と言い切ったことである。

二〇二二年五月初旬、琉球新報社は毎日新聞社と合同で世論調査を実施し、沖縄県内と全国で復帰の評価や基地問題への意識を探った。在日米軍専用基地の七割が沖縄に集中していることに対して「不平等」と回答したのは、県内調査で六一％に達したが、全国調査では四〇％にとどまった。全国調査で、沖縄の米軍基地が自分の住んでいる地域へ移設されることに五二％が反対し、賛成は二三％だった。過重な基地負担への認識の隔たりが改めて浮き彫りとなった。日本復帰に対する評価について、県内は「良かった」「どちらかといえば良かった」を合わせると九二％に上り、過去最高の数値となった。全国調査は「良かった」が八〇％、「どちらかといえば良かった」が一五％だった。共同通信の全国調査で、沖縄の基地負担を「不平等」と捉える人は七九％いたが、自らが住む地域への移設は六九％が反対した。

基地の過重負担を「構造的、差別的」と表記した「新建議書」と合致するデータがある。琉球新報の記事データベースで、復帰三〇～四〇年と、復帰四〇年～五〇年の一〇年ごとに区切り「基地　差別」を検索すると、一一七〇件から二九七一件へとほぼ三倍近くに増えている。一般記事や読者や識者の投稿、議会での政治家や首長の発言、市民運動の場、さまざまな記事中で「差別」が用いられる頻度が格段に上がっていることはこの一〇年の大きな変化だ。一方、「基地不平等」で検索すると、四四二件から五一二件への微増にとどまっていた。

沖縄本島中部の宜野湾市の南方から北向けに撮った航空写真には、海兵隊の普天間飛行場と空軍の嘉手納飛行場が映り込む。嘉手納飛行場の三七〇〇メートルの滑走路二本の中心部と、普天間飛行場の二八〇〇メートルの滑走路の中心部の距離を測ると一〇キロも離れていない。住民生活は置き去りにされ、住宅街と隣接する基地で軍事優先の激しい飛行訓練が続く。車の前一～二メートルで聞く警笛音に匹敵する一〇〇～一二〇デシベルの爆音が数十回も響く日もあるが、止める手だてはない。世界を見渡しても、世界最強の米軍の海兵隊と空軍の拠点航空基地がこれほど近い市街地に置かれている例はない。人権をむしばむ在沖米軍基地の過密さはあまりに異常だ。

「静かな空を返せ」と国を訴える嘉手納基地爆音訴訟の原告は第一次（一九八二年提訴）の九〇七人から、第二次（二〇〇〇年提訴）は約五五〇〇人、第三次（二〇一一年提訴）は二万二〇〇〇人を超え、二二年一月に提訴された四次訴訟の原告は三万五五六六人に増え、全国最大級のマンモス訴訟になった。沖縄県民のほぼ四〇人に一人が原告に名を連ねている計算になる。日米安保条約を容認する県民も含め、騒音などの基地被害が忍耐の限度を超えたと訴える県民が増え続ける土台に、基地負担の改善に手を尽くそうとしないこの国の為政者への強い不信がある。

宜野湾市南方から撮影した普天間飛行場（手前）と嘉手納飛行場（左上）。滑走路は10キロも離れておらず、基地の過密度が際立つ（2010年撮影）

多くの県民が社会資本の整備などを日本復帰の成果として一定程度評価している。一方、基地負担については、「日米関係（日米同盟）を安定させる仕組みとして、対米従属的日米関係の矛盾を沖縄に集中させて見えなくする構造的差別」（元沖縄大学長の故新崎盛暉氏）が深まっているのに、大多数の国民が見て見ぬふりを決め込み、「人ごと」の論理が息づいていることに不満を募らせていることが見て取れる。県民の深層心理の中で、沖縄への基地偏在に対する思いを表現する際、「不平等」よりも険しい響きを持つ「差別」を用いざるを得ない地殻変動が起きている。

## ❖「復帰五〇年特別号」が発した問い

沖縄県紙である琉球新報にとって、施政権返還（日本復帰）五〇年の節目に当たる二〇二二年五月一五日付は極めて重い意義を宿す紙面となる。どのような紙面にするかを模索していた同年二月、ニュースの価値を読者に適切に伝える見出し付けと紙面のレイアウトを担う整理記者経験が豊富な社内の先輩から、「歴史に残る紙面作りの方法がある」と提案を受けた。

それが一九七二年五月一五日付、日本復帰当日の琉球新報一面の復刻だった。編集局の部長会で侃々諤々（かんかんがくがく）の議論を尽くし、復刻と同時に、沖縄の現状についても同じ見出しが付く紙面を制作し、並列して掲載することにより、沖縄の人々にとって施政権返還（日本復帰）五〇年の節目が到来しても、祝福とは程遠い心情を表現する特別紙面を編成することを決めた。二二年五月一五日号は、「変わらぬ基地　続く苦悩」の横大見出しに、縦八段の「いま　祖国に帰る」を丁字型に据えた復帰当日の一九七二年五月一五日付一面を復刻して掲載した。それと並べて基地の現状を伝えるフロント面を制作し、半世紀前の紙面と同じ「変わらぬ基地　続く苦悩」を横に張り、半世紀たっても変わらない沖縄の基地の過重な負担を照らし出した。この紙面が朝刊本紙を巻き込んで発行した。ラッピングと呼ばれる特別編成であった。

復帰当時の縦見出し「いま　祖国に帰る」を「いま　日本に問う」に変え、日本の安全保障の負担を沖縄に押し付ける為政者、そして、沖縄の不条理から目を背け、「見て見ぬふり」を決め込んでいるように映る多くの本土の国民に重い問いを発した。

この特別編成紙面は、全国の都道府県知事、衆参両院の全国会議員、在京、地方の報道機関に、計約千部を届けた。琉球新報として初めての取り組みだった。県内外から反響を呼んだ特別号の前文を引く。

> 沖縄は五月一五日、一九七二年五月一五日に米国から日本へ施政権が返還されて五〇年の節目を迎えた。返還に際し、琉球政府の屋良朝苗行政主席（当時）は米軍基地撤去を前提に県民本位の経済開発を理念に据えた建議書を佐藤栄作首相に提出したが、無視された。一方の佐藤首相は返還交渉で、有事の際に米国が沖縄に核兵器を再導入、貯蔵を認める密約を結び、基地の最大限の自由使用も容認した。沖縄に集中する米軍の軍事優先の運用が住民生活を脅かす状況は今も変わらない。四人に一人の住民が命を落とした地上戦を経験した沖縄は、今後も「国防」の名の下に犠牲を強いられかねない状況が続いている。

第3種郵便物認可
1版 特集
(1) 1版 第22602号 (1968年2月3日第3種郵便物認可) 琉球新報 昭和47年(1972年)5月15日 月曜日 (日刊)

# 変わらぬ基地 続く苦悩

琉球新報
創刊79年
琉球新報社

## 沖縄県きびしい前途

### なお残る「核」の不安

## いま祖国に帰る

### 解けない「核」への疑惑

点検できない基地 県民が強く望んでいた「核」の完全撤去はついに復帰のこの日まで確認を得ることはできなかった。ロジャーズ国務長官書簡でも詳細についてはまったくふれられず、政府はただ米国の信義に期待するばかり。核がはたして撤去されたのかどうか? 自ら点検することさえできない。米軍基地は深い疑惑を残したまま無気味に存在し続ける=核が貯蔵されているといわれる知花弾薬庫一帯

### 解決へ大きな一歩

屋良主席談話

### 平和で豊かな県づくりを

政府声明

### きょうから通貨交換

### 米軍基地、平常通り動く

### 確約は完全に履行

核抜きで米国務長官が書簡

### きょう県庁発足式典

### 統一行動で全面復帰を要求

きょうの復帰特集

金口木舌

特集　1版　（1968年2月2日第３種郵便物認可）

復帰50年特別号

琉球新報
The Ryukyu Shimpo
2022年（令和4年）5月15日（日）［旧4月15日・赤口］
第40682号
発行所／琉球新報社　〒900-8525那覇市泉崎1-10-3　電話098-865-5111　ryukyushimpo.jp　©琉球新報社2022年

# 変わらぬ基地　続く苦悩

## 沖縄の民意届かず

### 軍事優先 暮らし犠牲

沖縄は15日、１９７２年５月15日に米国から日本へ施政権が返還されて50年の節目を迎えた。返還に際し、琉球政府の屋良朝苗行政主席（当時）は米軍基地撤去を前提に県民本位の経済開発を理念に据えた建議書を佐藤栄作首相に提出したが、無視された。一方の佐藤首相は返還交渉で、有事の際に米国が沖縄に核兵器を再導入、貯蔵を認める密約を結び、基地の最大限の自由使用も容認した。沖縄に集中する米軍の軍事優先の運用が住民生活を脅かす状況は今も変わらない。４人に１人の住民が命を落とした地上戦を経験した沖縄は今後も、「国防」の名の下に犠牲を強いられかねない状況が続いている。

## いま　日本に問う

1972年

グアム島から台風避難を理由にB52戦略爆撃機約90機が飛来した＝1972年10月26日、米軍嘉手納基地

2022年

国道58号上空を通過し、米軍嘉手納基地に着陸する米軍機＝2022年1月26日、北谷町砂辺（大城直也撮影）

日本の国土面積の０・６％に過ぎない沖縄に米軍専用施設の70・３％が集中する。平時は米軍絡みの事件事故や騒音、環境汚染などに苦しみ、有事になればミサイルの標的にされる恐れもある。基地機能の強化や自衛隊配備が進み、基地負担はむしろ増大している。72年５月15日付本紙１面の見出し「変わらぬ基地　続く苦悩」は今にも当てはまる。

50年前、県民は平和主義や基本的人権の尊重を掲げる日本国憲法への「復帰」を求めた。しかし、いまだに軍事の要衝として沖縄に固執する日米両政府の姿勢を見ると、人々が望んだ「基地のない平和な島」の実現は遠のく一方に映る。

日米両政府が言う「負担軽減」は嘉手納より南の施設返還が主眼だが、実現しても米軍専用施設の全国比は69％にとどまる。多くが県内移設条件付きだからだ。普天間飛行場の返還は代替施設とされる名護市辺野古の建設予定地で軟弱地盤が見つかり、短く見積もっても12年は実現しない。

県の試算によると、これから返還される主な基地の跡地を利用した場合の直接経済効果は約８９００億円で、基地関連収入年間約２５００億円（２０１８年）に対し、約３・５倍に上る。沖縄の経済発展にとって基地は阻害要因でしかない。

基地を減らしたい県民の民意は鮮明だ。基地の整理縮小や日米地位協定見直しを問うた県民投票（１９９６年）では賛成が89・09％に上り、有権者数の過半数（53・04％）に達した。辺野古新基地建設に伴う埋め立ての賛否を問うた県民投票（２０１９年）でも有権者の52・４％が投票し、反対票が72・15％に達した。

根底には「沖縄を二度と戦場にしたくない」との思いがある。この思いや民意にヤマト（日本）の人々はどう応えるか。「軍事の要石」を強い続け、沖縄の犠牲の上に成り立つ「安全」にあぐらをかくのか。基地を抜本的に減らし、対話や交流の場となる「平和の要石」に転換できるか。「復帰」50年の今、沖縄から問う。

◇　◇

琉球新報は「復帰」当時から基地の重圧にあえぎ続ける、沖縄の変わらぬ現状を読者と共に再認識しようと「復帰50年特別号」を発行しました。１９７２年５月15日付本紙１面も復刻しています。特別号では県民50人が描く未来の沖縄像も紹介します。

沖縄が日本に復帰した 1972 年５月 15 日の１面を再掲（右）し、変わらない基地負担を照らし出した復帰 50 年当日の特別編成紙面（2022 年５月 15 日付、琉球新報）

復帰五〇年を機に、琉球新報との紙面連携を深めた長野県紙の「信濃毎日新聞」は、この日の社説の冒頭でこう記した。

「沖縄の人たちに会う時に抱く気後れに似た感情は、どこからくるのか。時折、自問する。基地のない平和な島で人権や自治権を取り戻す――。五〇年前の復帰に県民が託した願いを、裏切ってきた本土の一員であるためか。

米軍機が引き起こす騒音、頻発する不時着や部品落下、軍人・軍属の犯罪や事故……。重荷を押し付ける政治を結果的に許している後ろめたさがもたげる。（以下略）」

信濃毎日の社説に、日本本土との関係性に複雑な感情を捨てきれないウチナーンチュの思いを踏まえた矜持(きょうじ)を感じる。

## ❖「本土復帰」ではなく

琉球新報の紙面で、こだわったことがある。沖縄の施政権返還、いわゆる復帰をめぐる共通表記についてである。

復帰五〇年を見据えた二〇二一年一二月、共同通信で、加盟社編集局長会議が開かれた。休憩中、旧知の共同通信編集局の幹部が訪ねてきて、こう問うた。「琉球新報は、『本土復帰』ではなく、『日本復帰』と記事中で表記していますね。理由を教えてくれますか」。コーヒーを飲みながら、近くにいた数人の編集局長も興味深そうに耳を傾けていた。私は大意、こう答えた。

日本から二七年間も米国統治に差し出された沖縄が返されたということが核心だと思う。本来なら、「沖縄の施政権返還五〇年」が最も適した表現だ。だが、祖国復帰運動が長く戦後史に刻まれ、沖縄でも「本土復帰」が一般的な表現になっていて、続いて「日本復帰」の表現もある。社外に求められて基地問題について書く際、私は「沖縄の施政権返還（日本復帰）五〇年」と表記している。

沖縄の民意を受け止めず、日本の安全保障を担う負担を、ほぼ沖縄に押し付けている現状が改められないまま、五〇年が過ぎようとしている。沖縄は、日本と超大国・米国の狭間で翻弄されてきた。基地負担をめぐる日米沖の三者のいびつな相関関係の下、「本土復帰」という表現は、沖縄が日本に帰属することを当然視するかのような印象がある。米軍基地の負担軽減を望む沖縄の民意が反映されず、沖縄から見ると、この国は民主主義が確立されているか疑念が湧く。歴史的にも、沖縄は日本領土の一部ではなく、琉球王国だった。武力を持たない琉球は、貿易と外交によって繁栄する一時代を築いた。「沖縄からは日本がよく見える」という表現があるが、沖縄の現状を放置しているに等しい日本政府との関係性を俯瞰して見つめる上でも、「本土復帰」ではなく、「日本復帰」が適している。

復帰五〇年のほぼ一年前から議論し、琉球新報の編集局は「本土復帰」ではなく、「日本復帰」と表記することで統一した。もちろん、カギ括弧の中で「本土復帰」と話す人がいる場合は言い換えないが、「日本復帰」を記事中で用いることにしている。こう説明した後、私はこう付け加えた。

「ここは個人的な話で切り離してほしいが、私は、日本という国は『帰るべき祖国だったのか』という疑念がぬぐいきれずにいる。なかなか感覚的にすぱっと表現しづらいが、ご容赦願いたい」

質問してくれた共同通信の編集局幹部は、「なるほど、そうでしたか。琉球新報が『日本復帰』と記す理由がよく分かりました」とうなずいていた。

## ❖「沖縄返還密約事件」に表記統一

県紙として、沖縄返還、日本復帰にまつわる重大なニュースに「沖縄返還密約」がある。日本の戦後報道史の中で際立つ存在感を放った元毎日新聞の西山太吉さんが日米の密約を暴いた。西山さんは為政者にも自らにも、そしてメディアに対しても厳しく、「情報は主権者である国民のもの」「沖縄に基地を押し付け続ける、日本の対米追従の病弊を断ち切れ」と訴え続けた。権力監視がメディアと現場に立つ記者の最も重要な仕事であることを背中で示した生涯政治記者は、沖縄の日本復帰五〇年の節目から半年後、亡くなった。

西山さんは毎日新聞政治部で自民党、首相官邸、外務省など、重要な持ち場を巡り、特ダネを連発した。だが、権力に肉薄したエース記者は、国民に虚偽の説明を続け「政権益」の維持に執着した佐藤栄作政権の策略に足をすくわれる。

沖縄返還を巡り、米国が支払うべき米軍用地原状回復補償費四〇〇万ドルを日本政府が国民に嘘をついて肩代わりしたことをつかんだ西山さんは、外務省の女性事務官から密約を示す公電を入手した。電信文にはこう記されていた。「アメリカ政府が支払うべき四〇〇万ドルは日本側が肩代わりする。大切なのは『アピアランス』。支払ったように『見せかける』こと」。当時の社会党議員が国会で追及し、佐藤栄作首相の退陣を求めた。激高した佐藤首相の指示が作用し、東京地検は国家公務員法違反の容疑で西山さんと事務官を逮捕した。毎日新聞や主要メディアは一斉に、密約を報じた記者逮捕を、「報道の自由」「知る権利」を侵害するとして批判的に報じた。ところが、東京地検が起訴状に「ひそかに情を交わして」という一文を入れたことで状況は一変する。「知る権利を守れ」という論調を後押しした世論の関心は、政権の思惑通り、一気に男女スキャンダルに移った。真相の歪曲にメディアも手を貸し、大きな禍根を残した。

情報源を守れなかった責任を取る形で、西山さんは天職と自負していた記者をやめ、四二歳で筆を折り、逆転有罪が確定する。郷里の北九州市に帰り、青果会社と賃貸マンションを営みながら、競艇にのめり込んだ。琉球新報の記事データベースで「西山太吉」を検索すると、二〇〇二年まで一件もない。「社会的に抹殺された状態」（西山さん）だった。

四半世紀余がすぎた二〇〇〇年代に入り、我部政明琉球大学教授（現名誉教授）らが発掘した米公文書や元外務省北米局長の吉野文六氏らの証言により、密約の存在が相次いで明らかになった。「国家の嘘」が白日の下にさらされ、西山さんは復権を果たす。密約の開示を国に求めた訴訟などを通し、西山さんの経験から学びたいと、在京大手メディア、ブロック紙、沖縄の二紙など社の枠を超えて多くの若手、中堅記者が西山さんを支え、学びたいとはせ参じ、「西山学校」とも言える良質なメディアスクラムが築かれた。

元琉球朝日放送のディレクターだった土江真樹子さん（現フリーディレクター）は、社会との接点を断ち、失意の日々を送っていた西山さんに何度も手紙を書き、西山さんの番組出演にこぎ着けた。二〇〇二年の復帰三〇年に合わせて、沖縄の琉球朝日放送で『告発―外務省機密漏洩事件から30年　今語られる真実』、翌〇三年に『メディアの敗北―沖縄返還をめぐる密約と12日間の闘い』を制作した。為政者の横暴と、沖縄返還の真相を暴いた記者逮捕の理不尽さ、権力から記者を守れなかったメディアの敗北を見事に照らし出したドキュメンタリー二本を見て、「やられた」という思いが沸いた。

「沖縄の新聞がやらなければいけない」と考えたが、私が初めて西山さんを北九州市に訪ね、沖縄返還密約に関するインタビューをしたのは、土江さんの番組から遅れること三年、二〇〇五年五月の連休明けになっていた。基地問題を主に担う編集委員として、復帰三三年の節目の日に合わせ、西山さんのインタビューを軸に紙面を展開した。

小倉駅の真上に建つホテルの一室で、西山さんは三時間余、こちらを射すくめるような鋭い眼光を放ちながら、人差し指を立てて峻烈な政権、メディア批判を繰り出した。初めて取材相手に対し「鬼の形相」という表現が浮かんだ。五月一五日付二、三面の見開き紙面の通し見出しは、「過重な基地負担の原点」「問われる政府の外交」だった。当時の佐藤栄作首相が西山さんを弾圧した経緯をたどる記事には、「佐藤政権の責任不問　すり替えられた『国家犯罪』」の見出しが立った。

この日の紙面を機に、琉球新報は「外務省機密漏洩事件」「西山事件」の呼称をやめ、統一表記を「沖縄返還密約事件」に改めた。国民に嘘をついて米国の意に沿った密約を交わし、基地の自由使用を認めた日本政府の従属的対応が、今に続く沖縄の過重な基地負担の源流になっていることが問題の真相という意識があった。西山さんの啓子夫人から電話をもらい、「沖縄の新聞が事件の本質を報じてくれた。西山がとても喜んでいる」と語ってくれたことが記憶に新しい。

最後に西山さんにお会いしたのは二〇二一年七月だった。沖縄の日本復帰五〇年の感想を聞くと、「密約が証明されても政府の施策は改められず、まだ広大な米軍基地が沖縄に残っている。当事者の一人としてじくじたる思いだ」「日本のメディア全体の、権力監視機能の衰えが心配だ」と話していた。

復帰五〇年の節目に六度目の沖縄に招くことができなかったことが悔やまれてならない。

## ❖日米の闇を照らす永久秘文書

二〇〇四年一月一日、琉球新報は、在日米軍の法的地位などを定めた日米地位協定の秘密解釈書『日米地位協定の考え方』の全容を特報した。沖縄の施政権返還によって大規模な米軍基地を抱えたことから、外務省が一九七三年に秘密理に作成した文書である。一部の幹部、要路の職員だけが持つことを許されていた。終戦後、ずっと占領国と被占領国に近い関係性を維持する日米のいびつな関係性、不当に侵害される基地周辺住民の権利などの問題点を覆い隠して国会答弁を切り抜けるための裏解釈マニュアルであり、「永久秘」扱いとなっていた。特報は反響を呼び、取材班は外務省に情報開示請求し、沖縄県選出議員らも国会の場で国政調査権を駆使し開示を求めた。沖縄県内外の基地所在自治体から外務省に提供を求める要望も相次いだ。だが、外務省は「米国との信頼関係を崩す」と呪文のように繰り返し、文書の有無さえ明かさず、公開をかたくなに拒んだ。二〇一四年に施行された特定機密保護法の下であれば、特定機密に指定され、入手した記者が摘発対象になる可能性が高い文書であろう。

外務省の姿勢に風穴を開けようと、琉球新報社編集局は総力を上げて、全文掲載に踏み切った。五〇人近い出稿部記者が手分けしてA4版一三五ページ（一〇万字余）を打ち込み、〇四年一月一三日付で計八面を使って一文字残らず掲載した。取材班の支えは、日米外交の暗部を照らした報道に共感した地位協定研究者らからの支援、県当局や基地所在自治体、議会の「機密文書開示を求める決議」や「基地重圧を補強する日米の力関係のヤミを明るみに出してほしい」という声を寄せてくれた県内外の読者の励ましだった。米国が圧倒的優位に立つ日米関係を改めたいという問題意識を持った政府内からも、内部告発的な情報提供が相次いだ。

東京支社報道部の外務省担当記者が、一九七三年当時、『日米地位協定の考え方』を執筆した元外務官僚を直撃取材し、一〇年後の一九八三年に『増補版』が作成されていたことを突き止めた。外務省は一転して『増補版』まで存在を認めたが、公開は拒んだ。何としても『増補版』を入手し、報じなければならなかった。取材班は半年以上かけて、米軍の特権が一層補強された『増補版』（Ａ４版二五九ページ）を入手し、二〇〇四年七月に特報した。取材源を守るため、複数のルートから入手できるまで掲載を待った。案の定、外務省は血眼になって流出元を調べ上げたが、不発に終わった。『増補版』に関しては毎日二面ずつ、九日間かけ、項目ごとに解説を付け、計一七面を用いて全文を載せた。日々の特集を切り抜いて重ねると小冊子になるよう、一面を四分割する体裁で展開した。

『増補版』作成までの一〇年間で、沖縄の基地被害が一層深刻化する状況変化があった。米兵の事件のみならず、基地内から流出した赤土による海の汚染などが頻発し、再発防止を求める自治体や住民の声も高まっていた。しかし、外務省は米側に地位協定改定を求めるのではなく、あらゆる解釈を駆使する形で、米軍の特権の拡大に動いた。門外不出の「無期限秘」文書であることから、建て前を使い分けることなく、米国におもねる赤裸々な本音を吐露している。けなげなまでに米国を付度し、「不平等」とされる日米地位協定の条文をはるかに超え、自ら対米従属の度合いを強める日本外交の恥部がくっきり浮かび上がった。

取材班サブキャップだった私は、前泊博盛キャップ（現沖縄国際大学教授）と共に約一年に及んだキャンペーン報道に携わり、取材班は三〇〇本を優に超える記事を書いた。『日米地位協定の考え方』の入手が難しかったこともあり、地位協定改定キャンペーン報道は琉球新報の独走状態となった。行き過ぎた対米従属を深掘りしたが、他メディアの追随はなく、国政の場では地位協定を見直す機運を高めることはできず、力不足を痛感した。苦い記憶である。

## ❖住民の目線で弊害突く

琉球新報の基地報道の軸足は、地を這うような取材を尽くし、基地被害に苦しむ住民に徹底的に寄り添うことにある。住民の目線で基地の弊害を突き改善を求めるため、時には肩肘張って日米両政府に挑み掛かるような論を立て、「なぁなぁ」で済まさないガチンコ勝負に徹する。

沖縄の基地問題は、基地の運用に関わる重要な情報が隠され、県民の預かり知らないところで軍事機能が強化されることが繰り返されてきた。日本政府が一九九六年から米国に根回しし、危険性が指摘される垂直離着陸輸送機MV22オスプレイの普天間飛行場への配備を隠し続けてきたことにも象徴される。平然と情報を隠したり、嘘を付く日米政府の説明を疑ってかかり、四方八方から、時間をかけて検証を尽くすことも取材手法の一つだ。膨大な日米の公文書を探り、マル秘扱いの文書を報じて読み解くことで基地負担の裏面を暴く報道も展開してきた。時には、問題を抱える基地内に人づてに立ち入り、環境汚染の現場などを直に確認して、記事化する体当たりの取材にも挑んだ。政府が喧伝してきた「基地がないと沖縄は食っていけない」という誤った固定観念を、基地跡利用の高い経済効果など具体的データを交えて覆す報道にも力を入れている。

県内メディアでいち早くワシントン駐在、特派記者を置き、財政難にあえぎ、在沖基地の必要性に疑念を深める米国の議会サイドの動きを沖縄の目線で切り取ることにも、国内メディアの中で先鞭を付けてきた自負がある。

新たな取材手法や切り口も台頭してきたが、米軍統治下の先輩記者たちから受け継がれてきた、住民の目線で基地被害の弊害を突く基本姿勢は変わらない。

「誰のために、何のために、何をどう書くのか」――私たちの基地報道の立ち位置が鋭く問われたのが、二〇一一年一一月二八日に起きた沖縄防衛局長の暴言問題だった。

## ❖許し難い発言

比較的、記事が薄かった夜だった。政治部長だった私が朝刊の政治・行政ニュースが入った二、三面のゲラの見出しを追っていると、電話が鳴った。午後一一時の一〇分ほど前だった。「相談があります」。田中聡防衛省沖縄防衛局長と担当記者との酒食を交えた懇談に出ていた基地担当の内間健友記者の声だった。ゆっくりと言葉をつなぐ様子から緊迫感が伝わってきた。

「一川（保夫）防衛相はなぜ、辺野古環境アセスの評価書提出の時期を（米国に約束した）年内と明言しないのかと質問したら、田中局長が『これから犯す前に、犯しますよと言いますか』と答えたんです。県民を侮辱する発言じゃないでしょうか。書かないといけないと思います」

耳を疑う田中氏の言葉に、私は「本当にそんなことを言ったのか。確かなのか」と二度問い掛けた。内間記者の核心部分の記憶は鮮明で揺らぎはなかった。発言が事実なら、沖縄県議会が全会一致で提出断念を求める決議をするなど、県内の反発が強かった辺野古新基地建設に向けた評価書提出を性的暴行にたとえ、新基地に反対する県民を陵辱（りょうじょく）対象とみなす許し難い発言だった。琉球新報編集局で最も紳士的で冷静な内間記者が怒りをにじませ、記事にしたいと申し出たことは重い。

オフレコを前提とした懇談であることを確認した上で、私は「オフ懇でもこれは書こう。防衛局に記事にすると通告し、事実関係を当てないといけない」と告げ、内間記者に急いで社に戻るよう指示した。記者の感度の良さを踏まえつつ、怒りにまかせて記事化するのではなく、オフレコ懇談の発言を報じる論拠をしっかり固めないといけなかった。

田中氏の返答を聞いた瞬間、内間記者は頭の中が真っ白になり、すぐには言葉を返せないまま、次の話題に移ったと話した。重大な問題発言と受け止め、すぐに政治部の携帯電話メール網で報告したが、デスクの私が見逃していたため、懇談が終わってすぐ本社に連絡してきたのだった。

懇談で田中氏は、一九九五年の少女乱暴事件の際、当時のマッキー米太平洋軍司令官が「（容疑者の三米兵が）レンタカーを借りる金があれば、女を買えたのに」と発言していたことを持ち出し、「その通り」と述べていた。即座に更迭されたマッキー氏の暴言を肯定した上、田中氏は「四〇〇年前の薩摩侵攻の時は、琉球に軍がいなかったから攻められた。基地のない平和な島はあり得ない」とも述べていた。発言の問題性を補強するものと認識した。

## ❖日米官僚に共通の差別意識

暴言が飛び出したのは、那覇市西部の小料理屋。一、二か月間隔で催され、局長、部長らが居並ぶ懇談会とは違い、その日は沖縄防衛局側から田中局長と広報室長だけが出席し、九社九人の男性記者が顔を出した。四つのテーブルの真ん中付近に田中氏が座り、普天間飛行場の移設問題を中心に話した。田中氏はほろ酔い加減だったが、口ぶりはしっかりしていた、という。遅れて参加して離れた席にいた内間記者が声を張り上げて質問すると、田中氏も声のトーンを上げて答えた。「犯す」の響きが参加した記者たちの耳にくっきり残ったようだ。

田中氏は、懇談の冒頭で「きょうは完オフ（完全オフレコ）だから、何でも聞いて」と告げていた。オフレコが前提であったにせよ、沖縄はどうにでも扱えるとみなす官僚の傲慢さを照らし出した過去の問題発言の中でも、県民と女性の尊厳を踏みにじる悪意に満ちた「犯す前に……」発言は、筆頭格の歴史的暴言に違いなく、沖縄県紙として絶対に見過ごせない、と考えた。

朝刊締め切りまで一時間余しかない中、内間記者に対し、田中局長本人か、広報室長から防衛局側のコメントを引き出せと指示した。携帯電話がつながった広報室長は「オフレコなのにどうしても書くのか」と驚いた様子で応じ、「ペナルティー、（局への）出入り禁止もあり得る」とけん制してきた。押し問答の末、「発言は、否定せざるを得ない」とする防衛局のコメントを記事に盛り込んだ。

## ❖県内読者の厚い支持

デスクとして原稿をまとめる作業と並行し、オフレコ取材に関する新聞協会の見解、新聞労連が編集した「新聞人の良心宣言」、鉢呂吉雄元経済産業相が「放射能をうつしてやる」発言で辞任に追い込まれた問題に対する識者論評などを判断材料としてそろえた。

普久原均編集局次長兼報道本部長（現社長）に連絡を入れ、「出入り禁止などのハレーションがあるはずだが、政府の沖縄への向き合い方を照らし出す発言であり、記事にしたい」と報告した。普久原次長は「県民感情からしても許し難い発言だ。どんな嫌がらせがあってもいい。読者の知る権利に応えないといけない」と紙面化にゴーサインを出した。玻名城泰山編集局長（現相談役）にも判断を仰ぎ、記事化する論拠を以下のように固めた。

「政府幹部による人権感覚を著しく欠く発言であり、日本政府の沖縄に対する施策の在り方を象徴する内容でもある。非公式の懇談会といえども許されていいはずはない。公共性・公益性に照らして県民、読者に知らせるべきニュースだ」

紙面を作る整理部も発言の重大性を瞬時につかみ、降版間際の短時間で紙面を手際よく組み替えてくれた。翌一一月二九日付一面トップで、「犯す前に言うか　辺野古評価書提出めぐり　田中防衛局長　懇談会で反発必至」の見出しが付いた記事が掲載された。

読者の反響は大きかった。この日だけで編集局に約一〇〇本の電話が入り、その九割超の読者が「よく書いてくれた」「絶対に許せない」と評価して、報道を支持してくれた。県外の読者の反応も二〇本ほどあったが、評価とオフレコを報じたことへの批判が半々だった。

沖縄を蔑（さげす）む日米の官僚の問題発言は繰り返されてきた。八か月前の二〇一一年三月、米国務省日本部長だったケビン・メア氏が、ワシントンの大学ゼミ生に「沖縄はゆすりの名人」などと発言したことを共同通信がスクープした。メア氏は県民の怒りを買って更迭された。

### ❖暴言の本質は問われたか

懇談に記者が出席していた各社も午前中の早い段階で一斉に報じ、田中氏の更迭が不可避となった昼すぎ、ＰＴＡ活動を通して親しくしていた旧知の小学校校長から電話をもらった。

「一面に『犯す前に言うか』の大見出しはきつい。子どもたちに読ませるのをためらう記事だが、沖縄の悲しい現実だ。ウチナーンチュを愚弄（ぐろう）するおぞましい官僚を許してはいけない。責任を取らせないと、教育的にも良くない。首を取るまで追及してほしい」

「クチ、ハゴーサン（口が汚れる）」という沖縄の言葉がある。口にすることがはばかられる強い嫌悪感を表す。コメントを一時拒んだ当時の仲井眞弘多沖縄県知事は、囲んだ記者たちに「口が汚れるから」と吐き捨てた。知事と先の校長の反応に、県民のやりきれない怒りが凝縮されていたように思う。

田中氏は、一九九六年から九八年にかけて、当時の那覇防衛施設局の施設企画課長に就いていた。若手のキャリア官僚に基地が集中する沖縄で実務を積ませるポストだ。自治体や市民団体の抗議や申し入れの場にほぼ同席し、米兵が起こす性的事件が県民の激しい反発を生むことを熟知していた田中氏から暴言が繰り出された。問題の焦点は「沖縄は永遠に基地を抱え続ける地で、力ずくで押せば屈する」という差別をまとった意識が、安保政策を担う官僚の中枢に埋め込まれているということにあった。

政府は、発言の影響拡大を恐れ、スピード更迭に踏み切った。しかし、発言のどこが、どのように不適切なのか、政府は明快な見解を示さなかった。移設計画を強姦(ごうかん)と同レベルの蛮行になぞらえた差別発言の本質、それと表裏一体の統治機構の危うさは問われずじまいだった。

新聞協会が一九九六年にまとめた見解に基づけば、記者にはオフレコを守る信義則と「知る権利」に応える責任がある。一方で「ニュースソース側に不当な選択権を与え、知る権利を制約する安易なオフレコ取材は厳に慎むべきだ」との戒めもある。「新聞人の良心宣言」は「公人の『オフレコ発言』は、市民の知る権利が損なわれると判断される場合は認めない」と定めている。

基地担当を二度、編集委員を合わせると通算九年経験した私も沖縄防衛局長の非公式なオフレコ懇談に出席してきた。自戒を込めて言えば、安易なオフレコ取材が横行していることは否めない。琉球新報は過去の防衛局長のオフレコ懇談で新事実が出た際、記事にすることを通告した上で報じたことがある。オフレコは本来、記者と取材先が一対一で成り立つものであり、報じるか否かは個別に判断されるべきであろう。官僚は省庁の利益を優先する。特に情報操作、印象操作の意識が強い防衛官僚が意図的な情報を流せる頻度が高まるほど、さして重要ではない情報を振りまくにとどめ、逆に本来は報道されないといけない重要なニュースが封じ込まれる危うさが増幅しかねない。これは「ニュースソース側に不当に選択権を与えた状況」に当たるのではないか。

琉球新報の報道に対し、「オフレコ破り」の批判もあった。だが、取材活動で得た情報は本来読者のものであり、負託された報道機関が知る権利に応えるために預かっているのではないか。あの暴言を報じず、新聞社の一部の記者、デスクだけが知り得る内部情報としてとどめていたなら、沖縄に根差す報道機関である琉球新報が県民、読者に対して背信行為を働く過ちを犯したことになっていただろう。

## ❖「沖縄二紙つぶさなあかん」発言

「沖縄の（自民党の）先生方が戦っているのは（普天間飛行場の県内移設に反対する）沖縄のメディア。沖縄のメディアが言っていることが県民すべてを代表しているとは思わない」。小池百合子防衛相（現東京都知事）が在任中の二〇一三年三月の自民党国防部会でこう発言した。四か月前の一二年一二月の衆院選挙で、沖縄選出の同党議員が「県外移設」を公約して当選したことを忘れたかのような発言だった。沖縄メディアを敵視する発言には既視感を覚えた。

小池氏は沖縄担当大臣として二〇〇六年に那覇市内で講演した際にも、「沖縄とアラブのマスコミは似ている。超理想主義で明確な反米と反イスラエルだ。それ以外（主張）は出てこない」

と述べた。イラク戦争で多くの犠牲者が出た住民側の目線での報道を貫いた中東メディアの雄・アルジャジーラを引きながら、沖縄メディア、特に琉球新報と沖縄タイムスを批判していた。沖縄と政府の隔たりが埋まらず、政府の思惑通りに基地問題が進展しないことへのいらだちが強まると、沖縄の新聞に矛先を向ける言説が振りまかれる。小池氏はその典型だった。

沖縄の新聞は県民世論を背にし、県民の視点に立ち、反米ではなく、過剰な基地負担の是正、強いて言えば反基地を主張しているのである。

第二次安倍晋三政権の下、沖縄二紙への露骨な攻撃が露見した。二〇一五年六月、自民党本部で開かれた若手国会議員らによる勉強会「文化芸術懇話会」の初会合で、講師として招かれた作家の百田尚樹氏が、「沖縄の二つの新聞はつぶさなあかん」などと発言した。出席議員からは、当時審議中だった安全保障関連法案を批判する報道について、「マスコミを懲らしめるには広告料収入をなくせばいい。文化人が経団連に働き掛けてほしい」などといった声が上がっていた。懇話会は憲法改正を推進する目的があり、安倍チルドレンと呼ばれる当選回数の少ない議員に加え、安倍首相に近い政権中枢の重鎮も顔を出していた。

沖縄二紙について「左翼勢力に乗っ取られてしまっている」「タイムスと新報の牙城の中で沖縄世論のゆがみ方がある」「沖縄の特殊なメディア構造をつくってしまったのは戦後保守の堕落だった」などの発言が続き、これを受ける形で百田氏が「つぶさなあかん」と発言していた。

百田氏は「もともと普天間基地は田んぼの中にあった。基地の周りに行けば商売になるということで周りに人が住みだした」など、戦後の基地の成り立ちに関する完全な事実誤認に基づく発言をいくつも繰り出していた。ほかにも出席議員から「マスコミを懲らしめるには広告料収入がなくなることが一番だ」「ワースト番組を発表して、（広告を）出している企業を列挙すればいい」など、メディアに圧力を掛けることを求める発言が相次いでいた。

これに対し、琉球新報の潮平芳和編集局長（現専務）と沖縄タイムスの武富和彦編集局長（現社長）は、翌々日の紙面で連名の抗議声明を発表した。

声明は「政権の意に沿わない報道は許さないという〝言論弾圧〟の発想そのものであり、民主主義の根幹である表現の自由、報道の自由を否定する暴論にほかならない」と指摘。その上で「政府に批判的な報道は、権力監視の役割を担うメディアにとって当然であり、批判的な報道ができる社会こそが健全だ。にもかかわらず、批判的だからつぶすという短絡的な発想は極めて危険であり、沖縄の二つの新聞に限らず、いずれ全国のメディアに向けられる恐れのある危険極まりないものだ。琉球新報、沖縄タイムスは、今後も言論の自由、表現の自由を弾圧するかのような動きには断固として反対する」とうたった。

## ❖ブロック紙・地方紙の反撃

報道の自由への圧力に対し、全国の新聞、特にブロック紙、地方紙が迅速に反応した。

中日新聞は、沖縄二紙の編集局長による抗議声明全文を一面トップで報じた。河北新報は「報

道圧力を憂える　読者と国民を愚民視」とする論考を一面に据えた。鈴木泰雄編集局長（当時）が筆を執り、「地方紙が県民の声を代弁して編集に当たることはむしろ当然の任で、これに掣肘を加えるがごとき言動は異論封じ以外の何ものでもない。読者と国民を愚民視したという点でも一連の報道圧力発言は根深い問題をはらんでいる」と論じた。

山形新聞は翌々日付一面で「言論封殺の暴挙許すな」との見出しで、寒河江浩二主筆・社長名の緊急声明を掲載した。圧力をかけ言論を封じる動きを「誠に遺憾であり、残念なこと」とし、沖縄二紙だけの問題ではなく「言論の自由、報道の自由、そして新聞の独立という民主主義の根幹にかかわる問題」と指摘し「（山形）県民にその是非を問いたい」と訴えた。

神奈川新聞は「沖縄を捨て石にした差別意識がなお息づくのをみることができる。自らはこらしめ、つぶす側に立っているというおごりが生んだ発言」などと批判した社説を、掲載前日の夕方にホームページ上で公開した。先例のない対応について、同紙は「普通ではないことが起こっていることを示すため」と説明した。

新聞や通信、放送一三〇社で構成する日本新聞協会の報道責任者でつくる編集委員会は「極めて深刻な問題」とする抗議声明を発表し、この中で「特に政権与党の所属議員でありながら、憲法二一条で保障された表現の自由をないがしろにした発言は、報道の自由を否定しかねないもので到底看過できない」と危機感を表明した。一三六社が加盟する日本記者クラブも声明を発表。「自分たちの主張に沿わない報道は圧力をかけ規制するという政治家の考え方は、民主主義の根幹であり、憲法で保障された言論の自由と表現の自由を脅かす」と主張した。

## ❖「つぶされないでよ」の激励

報道圧力問題に対する沖縄二紙の編集局長の抗議声明が報じられた同じ日の紙面で、編集局次長兼報道本部長だった私が執筆した特別評論「百田氏発言と報道姿勢／県民と共に使命貫く」も掲載された。土曜日だったこの日の昼、夏の高校野球県大会の一回戦があり、娘がマネージャーを務める高校野球部の応援に出かけた。

「松元さん、つぶされないでよ」。那覇市内の野球場に保護者会のＴシャツを着けて出向いたところ、少年野球の保護者会やＰＴＡで顔なじみの人たちが次から次へと私の所にやってきて、「新報、応援するから、生き残ってよ」「二紙をつぶすというのは、沖縄の民意をつぶせと同じ意味だ」「絶対、ヌガーラサン（逃さない、許さないの意）」などと声をかけてくれた。自民党員の自営業の社長や旧知の自衛隊員を含め、声を掛けてくれた人は二〇人を下らなかった。気圧されるほど、怒っている人もいた。県紙への攻撃をこれほど気に懸けてくれたことに深い感慨が湧いた。

沖縄では戦後、約一〇の新聞が誕生した。支配者である米軍の側に立つ新聞もあったが、生き残ったのが琉球新報と沖縄タイムスの二紙である。米軍の専横的な支配の下、銃剣とブルドーザーによる土地の強制接収や、事件事故に怒る住民に後押しされることで、権力に歯向かう健全性を宿していった。平和憲法と共に言論の自由が保障された本土と異なり、ウチナーンチュと新聞が一緒になって一歩ずつ、人として平穏に生きる権利を勝ち取ってきたのである。

『アメリカ占領時代・沖縄言論統制史』などの著書がある門奈直樹氏（立教大学名誉教授）は「米軍統治下、その後も続く人権抑圧と闘い、権力に迎合せずに民衆に寄り添う姿勢を示してきた沖縄二紙は言論の自由を自ら勝ち取らねばならなかった。そこに強さがある。日本のジャーナリズムが失いかけた権力をチェックする機能を補完する存在になっている」と分析する。

果たして沖縄以外の都道府県の新聞に、「つぶさなあかん」という言葉の牙がむかれるだろうか。発言の底には沖縄を蔑み、永遠に基地を抱える宿命の地と決め付ける差別が透けて見える。

それは、沖縄の反基地感情に対して「沖縄はゆすりの名人」と発言したり、辺野古新基地の手続きをめぐり「犯す前に『これから犯しますよ』と言いますか」という暴言を吐いたりして更迭された日米の官僚と通じる。百田発言と自民党議員の暴言を機に県民はこの本質を鋭く見抜いた。

第二次安倍政権が長期政権になるにつれ、異を唱えるメディアを異端扱いし、排除しようとする空気が強まっていた。公然と放送局に圧力を懸ける動きもかつてなかったことだろう。報道の自由を押しつぶせという動きが露骨な形で表面化した報道圧力が問題化し、自民党は四人の議員を処分したが、安倍首相と共著を出すほど親密な人気作家が言論封殺と県民への侮辱を帯びた基地形成の虚構をはやし立て、多くの議員が同調した事実は消えない。沖縄の苦難の戦後史への無知と無責任、報道・表現の自由を軽んじる傲慢で危険な思考回路がくっきり浮かび、身内の会合であけすけな発言だからこそ、批判を許さない巨大与党の狭量と独善が際立つ形となった。

それが民主主義を壊し、為政者が一つの危うい色に国を塗り込める全体主義に行き着くことは、歴史が証明している。戦争に導きかねない言論封殺の危険な動きに対して、常に敏感でなければならない。

第二次世界大戦中に一紙に統合された沖縄の新聞も、軍部の意を受けた報道を続け、多くの県民を犠牲に追いやった。戦後の新聞の原点はここにある。「戦争につながる報道は絶対にしない」という私たちの報道姿勢の延長線に基地報道の軸足がある。

自民党内には沖縄の新聞が政権批判に凝り固まっているとみなし、「二紙が県民をマインドコントロールしている」という声が今もくすぶっている。それは沖縄県民には判断能力がないと見なすに等しい暴論だ。そんなおごり高ぶった意識で新聞を作っていたならば、とっくに県民の意思で葬り去られていただろう。沖縄の新聞論にすり替えて、民主主義の手だてを尽くして新基地建設に抵抗し、基地被害の是正を求める沖縄の民意を矮小化する意図を見過ごしてはならない。

民意が反映されない不条理が深まる基地の島で、県民の声を支えとし、人権と生活を守るための報道が「偏向」と見なされることを恐れれば、沖縄に屈従を強いる国家に迎合する報道に成り下がりかねない。「駄目なものは駄目だ」とはね返す使命を果たすためにも、理不尽な圧力に立ち向かい、「懲らしめ」ようとする側の対極に立ち続けたい。

## ❖はびこる虚偽を正す新聞の役割

一九九〇年代半ばすぎから普及したインターネットは、誰もが情報を受ける側と発信する側に立てる社会変革を生み出し、インターネットの登場前から口コミや怪文書を含む紙の世界などで流通していたフェイク（虚偽）やヘイト（憎悪扇動表現）がたちどころに広がる力を増幅した。誰が発信者か分からない匿名が担保されることが拍車を掛けている。いつでもどこにいても情報をたやすく送受信できるスマートフォンの普及と、ソーシャルメディア（ＳＮＳ）の発展により、フェイクやヘイトの拡散力はさらに強まり、ツイッター上では、フェイクが真実のニュースより七割高い確率でリツイートされているという分析がある。

辺野古新基地建設を巡り、沖縄の民意を無視して埋め立て計画を強引に進める安倍政権に対峙する沖縄県政や市民運動、そして政権に批判的立場を取る県紙に対しても、虚偽や誤解が同居するむき出しの憎悪と偏見に満ちた言説が繰り出される状況が続いている。沖縄フェイクに加え、いびつな「嫌沖」、沖縄ヘイト言説がはびこっている。

根拠なく沖縄を蔑み、おとしめるフェイクとヘイトが爆発的に拡散したのが二〇一八年九月の沖縄県知事選挙だった。翁長雄志知事の急逝に伴い、辺野古新基地ノーを継承する後継候補の玉城デニー氏と、安倍政権が全面支援した佐喜眞淳氏の事実上の一騎打ちとなった選挙の告示前から、ネットやＳＮＳ上で、特定候補者の落選に照準を絞った事実無根の誹謗中傷が飛び交った。

かつて「紙爆弾」と呼ばれた怪文書とは比べものにならない規模で、悪質な情報が一気に駆け抜けた。

琉球新報編集局はこうした状況を憂慮し、当時の普久原均編集局長（現社長）と松永勝利編集局次長兼報道本部長（現北部支社長）が、「誤りを正さなければ、虚偽の情報によって民主主義の根幹である選挙の結果が左右されかねない。正しい情報に基づいて、有権者が投票行動を取るよう、選挙報道に新機軸を打ち出せ」と、知事選取材班に指示した。ネット上などの情報や政治家の発言の正確性を検証する「ファクトチェック」（真偽検証）を選挙戦中に実施することを決断した琉球新報は、選挙報道の原則である「公正中立」を保ちつつ、フェイク情報を正し、有権者に影響を与えかねない誤った情報の記事化に踏み切った。

七か月前の一八年二月の名護市長選挙で、辺野古新基地に反対する現職候補がネットやSNS上での情報発信で相手陣営に圧倒され、現職に不利に働く「プロ野球日ハムの名護キャンプ撤退」の虚偽情報が席巻(せっけん)した。琉球新報は、取材を尽くしたものの選挙報道の原則に縛られ、選挙中のネット情報の真偽をただす記事化を見送った。現場記者たちに「結果的に落選運動を意図した虚偽の情報が選挙結果（現職の落選）に影響を与えることに歯止めを掛けられなかった」という強い反省を残した。その悔いもファクトチェック報道を始める原動力として作用した。

二〇一三年にインターネットを用いた選挙運動が解禁され、有権者の三割がネットを参考に投票しているというデータがある。有権者の政治参加を促す改革だったが、虚偽の情報が振りまかれ、必ずしも健全な選挙運動に結び付いたとは言えない。琉球新報が知事選で始めたファクトチェックは、二〇万に上るSNS上の記述を何日も夜を徹して検証した記者に象徴されるように、愚直なまでに事実に肉薄し、地を這うような取材を尽くした。記事への信頼性が高い新聞ジャーナリズムの本来の在り方を、新たな手法で示したのではないかと自負している。

ジャーナリストの津田大介氏は、「国内の選挙で、ファクトチェックが効果的に機能した初の事例だ。選挙期間中に虚偽情報を打ち消すことに意義があり、有権者が誤った情報を基に投票することを防ぐ公共性がある。選挙前に候補者に通告して公平性を担保し、デマはリアルタイムで紙面、ウェブ上で訂正した方がいい」と提起してくれた。

さまざまな情報がもつれ合い、何が正しくて、何が間違っているのかが判然としない情報氾濫社会には、危うさが付きまとう。それが民主主義の根幹を支える選挙の場に持ち込まれて、過剰な中傷や偏見が跋扈（ばっこ）するようになると、分断を仕向けられた有権者の政治への関心さえ奪いかねない。

沖縄への理不尽な言説はその悪しき象徴でもある。「沖縄は基地がないと食っていけない」「反基地運動に身を投じる人は日当をもらったプロ市民」など、虚偽を土台にした攻撃にさらされている基地の島で挑むファクトチェック報道が、この国の民主主義の軌道を正し、憎悪や偏見が物事の本質から目や耳を遠ざけることを防ぐ一助になれば、と願っている。

琉球新報の創刊は、明治政府が沖縄を強制併合した「琉球処分」から一四年後の一八九三（明治二六）年だった。戦時中の三紙統合時には、沖縄に配属された第32軍による「軍官民共生共死の一体化」の県民指導要領の下、県民を戦火に巻き込む報道を担った痛恨の歴史がある。一九四五年七月、「ウルマ新報」として再出発し、五一年に「琉球新報」へ復元改題し、米国統治下から施政権返還（日本復帰）と続く〝世替わり〟を県民と共に刻んできた。

今また沖縄は大きな歴史的岐路に立っている。「南西諸島防衛」の掛け声の下、自衛隊と米軍の軍事融合が進み、基地機能強化が続く。本土上陸までの時間かせぎとして、「防波堤」「捨て石」の役割を強いられた沖縄戦を想起せざるを得ない状況にある。

戦前、戦中の反省を踏まえ、私たちは今度こそ沖縄の人を守り抜く報道を続け、沖縄を絶対に戦火にさらしてはならない。沖縄に立脚し、沖縄にこだわる県紙として、琉球新報は新たな経営方針の骨格に「ウチナーンチュの幸福を最大化する使命を果たす」を掲げている。先祖から受け継いだ独自文化を守り、沖縄に幾重にも横たわる社会課題解決に向けた架け橋になる。そんな役割を深く自覚し、腰を据えた報道を続けていきたい。

＊本章で紹介した事例のいくつかは、連載記事などを再構成して単行本にまとめているので参照いただきたい。

・『検証地位協定　日米不平等の源流』（高文研二〇〇四年）

・『外務省機密文書　日米地位協定の考え方・増補版』（高文研二〇〇四年）
・『これだけは知っておきたい　沖縄フェイクの見破り方』（高文研二〇一七年）
・『琉球新報が挑んだ　ファクトチェック・フェイク監視』（高文研二〇一九年）

第2章

# 「復帰」で「聴き取られなかった声」

謝花 直美

**【じゃはな・なおみ】** 1962年沖縄県生まれ。沖縄タイムス記者として沖縄戦報道などに関わり、退職後はジャーナリストとして沖縄戦、戦後史を研究する。同志社大学〈奄美－沖縄－琉球〉研究センター嘱託研究員、大学非常勤講師。単著に『戦場の童』（沖縄タイムス社 2006）『証言沖縄「集団自決」』（岩波書店 2008）『戦後沖縄と復興の「異音」』（有志舎 2021）『沈黙の記憶 1948年』（インパクト出版会 2022）など。共著に『観光コースでない沖縄　第5版』（高文研 2023）など。

## ❖「復帰」五〇年、当時の子どもが「復帰」を語る

一九七二年の沖縄の「復帰」の時は小学生だった。「復帰すれば雪が降るの？」。子どもたちが「復帰」後を問われてこんな風に回答したと大人たちの記録にある。だがその答えは、「復帰」を熱く真面目に問う教師に対して、大人びた子どもたちが無邪気さを装うためにあえて使ったようにも思う。「B52撤去」というデモ隊のシュプレヒコールが遠くで海鳴りのように聞こえたこと、見慣れない円の紙幣や硬貨に大人世代の生活不安も重なった急激な変化に対する胸のざわつき。小学生だったころの「復帰」とは、「復帰」運動が求めた米軍基地の撤去とは遠く離れた、社会がドラスティックに変わっていくことへの漠然とした不安だった。

そのような記憶しかない私が、シンポ登壇者の中でも最年長だった。新聞記者であると言っても、当時の子ども世代が「復帰」を語る時代になった。このことはそのまま沖縄の報道が取り組んできた取材の在り方、「復帰」体験者に聞き書きで同時代史を語ってもらうことが成り立たなくなったことを示している。

逆説的だが、それは一つの取材方法が変わるチャンスであると考えている。報道における「復帰」を語っていたのは誰の言葉だったのか。社会運動を支えてきた人たち。それは圧倒的に男性たちだった。もちろん「復帰」運動をけん引した人々が男性たちであったことが前提だった。また新聞やテレビの記者も、一九八六年の男女雇用機会均等法施行以降、女性が増えたとは言って

も現在でも男性が圧倒的だ。「復帰」に至る社会を動かした人々、そして取材者が男性が中心であったことは否めないだろう。こうしたジェンダーの偏りを何も気にせず語ることが出来たのがこれまでの「復帰」報道だった。

では、そこで声を聴き取られてこなかった人々はいないのだろうか。「復帰」を語るはずなのに、同時代史的には子どもとしての体験しかなく、さらに報道の中では少数派の女性であった私。そこを起点に、同じ場にいても、見えるものが異なるということを手掛かりに、聴き取られなかった人々の存在、そしてその声へと接近してみたい。

## ❖時代区分としての一九七二年「復帰」

「復帰」は沖縄の歴史的体験を区分する。それ以前の二七年に及ぶ米軍支配があり、それは一九四五年の沖縄戦によって引き起こされた。沖縄県内では、沖縄戦については地域史、平和運動、研究、報道、四つの軸によって厚い記録が残されている。一方の戦後史は、一九八〇年代以降『浦添市史』『宜野湾市史』『那覇市史』の戦後編、『沖縄県史　現代編』などが編纂されてきた。しかし、沖縄戦記録がほぼ全市町村で編纂されつつある現在、「復帰」を含む戦後史については、十分な記録があるとは言えない。なぜこうした異なりがあるのだろうか。

沖縄戦後、焦土となった沖縄を復興させるためには、米軍は住民の労働を必要とした。人々は等しく戦場の難民であり、生存の淵に立たされた。そうした人々の中から、戦前の有力者が選抜され、米軍の施策を諮問する沖縄諮詢会が発足した。初期の施策は、人々の生命を支えるだけの衣食住の配給についてであり、収容地区を維持するだけのものであった。戦後そうして復興が始まった。

収容地区から軍用地として接収されていない地域への移動、地域の再建、こうした復興を重ねるうちに、難民だった人々は、米軍支配に対して協力を求められ、また自らの復興を重ねて立ち上がっていった。一九五〇年に始まる恒久基地の建設、東アジアの「冷戦」体制下で、沖縄は米軍の「反共の砦」となり、人々は米軍支配に協力的な態度、親米的な態度を求められた。「復帰」を求めて、米軍支配下の問題の解決をはかろうとした人々は非協力者として米軍によって「共産主義者」とされ、「アカ」として報道機関もまた指弾し、社会もそれを受け入れた。米軍支配下の人々の複雑な立場がこうしてつくられた。

「復帰」を書く難しさは、こうしたことからも伝わるだろう。近年の報道は、一九七二年五月一五日に沖縄の施政権が日本に返還されたこの日を節目として、同日前後に「復帰」運動を通じて歴史の意義を問う企画に取り組んできた。「復帰」の意義を伝える大切な取り組みではあるが、一方で「復帰」運動をした人々の記録のみを提示することで、体験者が物故することで聞き書きができない事態に直面している。

## ❖学校現場で見えた「復帰」

「復帰」を含めた戦後史を書く言葉の困難をいかに打開するのか――。前述したように子どもと大人では前提となる経験が異なる。伝え手はこうしたことを意識しなければならないのではないか。冒頭で記した学校における子どもの体験をより詳しく記してみたい。

学校の教師たちは当時、沖縄教職員会に属していた。現在の組合とは異なり、校長や教頭も加入し、「復帰」運動をけん引する組織だった。そうした大人たちと子どもたちが共有した学校という場。あくまで私一人の体験ではあるがその体験の異なりから考えてみたい。

一九七二年に私は小学四年生だった。教室で教師たちが繰り返した沖縄が「復帰」すると伝えた日本を意識させられた。隔たりは物質的な豊かさとして意識された。一九七〇年、大阪で開かれた日本初の日本万国博覧会は、「アメリカ世（ゆー）」の沖縄でも盛んにテレビなどに取り上げられたので、行ってみたいと憧れた。夏休みに万博に行った子がクラスに二人だけいた。同級生は彼らの話す万博体験談を面白く聞いた。と同時に、当時飛行機に乗り家族旅行ができる同級生の裕福さと日本が結びついた。

また、その頃子どもたちの学習ノートは一九六四年に開通した新幹線の写真が表紙だった。「アメリカ世」では自動車の交通網整備が優先され、沖縄にも戦前あった鉄軌道は再建されなかった。見たこともない新幹線、ずんぐりとした鼻の車体を、日本に重ねた。社会科の時間では、初めて地理を学んだ授業では地図帳が配布され、さらに別に配られた沖縄の地図を貼り付けた。その出来事は日本との地理的な隔たりが、富める日本と沖縄との距離にも思え、鮮烈な記憶となった。

「復帰」が間近になると、役所や本土企業の転勤者が沖縄にやってきた。その子どもたちが学校に転入したことでそれを知った。教師は今度迎える転入生が特別な人々であるかのように「優秀な転校生を見習ってください」と強調した。教師が持ち上げた転入生は一躍尊敬の眼差しを受け、クラスで特別に大切にされる存在になった。しかし、当たり前だが様々な個性の子どもがいる。その一人がアメラジアンの同級生をばかにする発言を繰り返した。教師が「見習うべき」と発言した結果、子どもたちのこの生徒への反発はよけいに強くなった。当時、沖縄の言葉を話さないという標準語励行は既に私の学校では行われていなかった。だが、それと同等に、「復帰」運動によって美化された日本の刷り込み、さらに優秀さを「日本人」の特性とし、沖縄の子どもを劣位に置いた上で目標とさせる取り組みは継続していた。そうした扱いは先の反発をくらった転校生にとってもはた迷惑なことであっただろう。

しかし、日本を凝視していた教師たちにも「復帰」後に変化が現れたように思えた。突然、体育の授業にそれまでなかった琉球舞踊が取り入れられたのである。「復帰」後、那覇市の街、テレビやラジオ、安く買えるようになった最新の漫画を通して、周囲が日本一色に塗りこめられていく感覚があった。ある種それは単調なつまらないことでもあった。そういう状況で、学校で突然琉球舞踊によって「沖縄」が着目されたことには違和感を抱いた。踊りに使う小道具を手作りしなければならず、とても煩雑で厭だったことも重なった。「復帰」を推進し、日本が優秀だと説いていた教師たちがなぜ、今度は「沖縄」をしきりに強調するのか。それぞれの教師にも個人的な考えの違いはあっただろう。しかし、学校教育という逃れられない体制の中で、子どもにはこうした変化が矛盾に満ちて見えたのである。

一人の子どもの「復帰」をまたぐ記憶の断片をたどっても、時代の変化は複雑で語りにくいことが伝わるのではないか。「復帰」運動に邁進する大人たちの傍らやその後ろで、様々な変化を自分を係留点として一人ひとりがとらえていたはずだ。しかし、そうした微細なひだのような経験や記憶は、「復帰」運動が記述の中心となってきた近年の報道ではほとんど記録されてこなかった。

## ❖いかに「復帰」を書き、何を伝えるか

「復帰」時に子どもだった私は、一九九〇年に沖縄タイムスで記者になった。そして二〇二二年に三三年の記者生活を終えるまでに、折にふれ沖縄戦や戦後史を取材してきた。その過程で、沖縄戦や「復帰」への共通理解が世代の交代で変化することを意識し、記事としていかに伝えるかを考えた。そうしたことを整理してみたい。

意識しなければならないのは時代区分である。今年（シンポ開催時の二〇二二年）を「復帰」五

〇年の節目と考える思考である。復帰は、沖縄ではいわゆる括弧付きで「復帰」と表現されることも多い。日米の政治的取引によって、「復帰」を求めた沖縄の人々は翻弄され続けた。「沖縄県祖国復帰協議会」の打ち出したスローガンは、基地問題の解決のための「復帰」がかなわないために、最終的には「米軍基地の即時無条件返還」をも打ち出すほど、日本政府に対して反発を強めていた。

現在も広大な米軍基地が沖縄に存続し、「復帰」運動そのものが目指した目標は達成されていない今、五〇年の節目を内実を問わずにただ半世紀の時代区分として捉えることは適当なのだろうか。米軍基地を維持するために、施政権のみがアメリカから日本に返還されてから五〇年。この区切りでは、「復帰」運動が何を求めていたのか、そして何がかなわず、現在まで「復帰」運動が形を変えてどのように継続しているのかが見えにくいのではないか。

さらに「復帰」以前の米軍支配の二七年がある。「復帰」運動とは、その期間の米軍支配による数々の問題から逃れるためのものだった。その現状がどうだったのかは現在もなお問い直され続けている。

一つの事例としては、「基地・軍隊を許さない行動する女たちの会」の宮城晴美さんが取り組む資料『沖縄・米兵による女性への性犯罪（一九四五年四月〜二〇二一年一二月）』がある。「米兵による暴行事件」を受けて一九九五年に調査が始まったが、その資料は更新を続けて二〇二三年に最新の第一三版が出た。新聞資料などを繰り返し調査し、小さな事件として報道された性暴力事件を丹念に洗い出してきたことは敬服に値する。こうしたことがなぜ必要なのか、そしてそれが継続しているのは、現在の沖縄でも米軍による犯罪が止まないことにある。米軍は事件のたびに「綱紀粛正」をうたうが、犯罪は繰り返され、沖縄の人々は苦しめ続けられている。こうした取り組みは「復帰」で求めたことが何だったのか、何が現在も問題として継続しているのかという非常に重要な問いを提示している。

二〇二二年時点の沖縄の人口では、約六〇％が「復帰」後に生まれた世代になっている。残る四〇％が米軍占領下を生きた世代だ。そのうちの一六％が沖縄戦を知る世代といえる。報道機関の中には、私のような「復帰」時の子ども世代が最年長記者としている場合もあるが、編集局の主軸は二〇代から四〇歳代の記者やデスクたちだ。こうした人たちが、沖縄戦や「復帰」を同時代史として経験した人、さらに歴史としても全く学ばなかった若い世代も対象にして伝えなければならない。沖縄戦を語る言葉が社会で受け止められるようには、「復帰」を語りだすことも、語られた「復帰」を理解することも十分に行われていない。「復帰」をいかに書くのか、いかに伝えるのかは、非常に大きな課題といえる。

## ❖矛盾を含む「復帰」という言葉

沖縄戦報道は、当時何があったのかを伝えるにとどまらず、現在社会にいかに影響しているのかを伝えるための報道でもある。新聞などの報道は、新しいこと・ニュースを伝えるのが目的だが、過去の出来事である歴史を取り上げるのは、歴史の積み重ねの上に現在があるからである。報道は各時代において目撃者としての役割を果たしてきたからこそ、その過去を振り返ってその時の限界を超える報道、つまり現在における新たな意味も合わせて伝えることが必要だ。それは「復帰」報道も同じはずだ。

だが、「時代区分」を問うという視点は、「復帰」五〇年の大量の報道において拡散し攪乱していたように思う。「復帰」は括弧付きで表すことによって、沖縄の人々が求めた真実の復帰でないと留保される。それにも関わらず、括弧付きであればその言葉が自動的に時代の区切りとして自明のものになってしまう。そこから問い直すことが重要だといえるだろう。

また、括弧付きで留保しても「復帰」という言葉は、そのものが沖縄の歴史的歩みを考える上では、矛盾を含む言葉でもある。中国明・清の冊封体制下の琉球国は、一六〇九年に薩摩に侵攻された。さらに一八七九年には、明治政府による琉球処分によって国が廃滅され沖縄県となった。沖縄戦後、米軍に支配されたことから、日本に「復帰」するという受け止めは、望む「復帰」がかなわぬことから一九七二年五月一五日には、「第二の琉球処分」というスローガンも掲げられた。

加えて現在では、辺野古新基地建設を巡って沖縄の人々の意志を日本政府が無視し続けることに反発が強まっている。沖縄の人々の頭越しに、生命を危機にさらすような事態が続いている。「復帰」という言葉がそのまま受け止めることができない言葉になっている。それだけに、時代区分をもとにどのような歴史を現在に伝えるのかが問われる。

「復帰」五〇年の報道には、時代区分そして現在に何を伝えるべきなのかという課題があったと考える。

## ❖生活に根差した「小さな声」を拾う報道

次に考えたいのが社会の世代交代によって共通基盤が変化する中で、報道で「復帰」を伝える方法論はいかにあるべきかだ。どのような取材方法で、いかなる形で記事をまとめるかということだが、前述した「復帰」をどうとらえるかという根源的な問題ともつながっている。

私自身が沖縄戦や戦後史の取材で大切にしてきたのは、新聞社がそれまで聞こうとしなかった人々の声にこだわることである。報道では「小さな声」という表現がしばしば見うけられる。ではその対義語となる「大きな声」とは誰の声なのか。政治や経済界の人々、あるいは行政トップといった権力をもっている人々と考えられるだろう。こうした人々の声が「大きい声」であり続けるのはなぜだろうか。メディアの取材方法や認識に問題がないだろうか。

記者クラブによる記者の管理や横並び、そこから出てくるスクープ優先主義。こうした権力が張り付いた領域を取材する部署や記者もまた報道機関内で権力を帯びた存在になっていないだろうか。こうした構造が「大きな声」を大きくし続け、その結果聴き取られない「小さな声」を作り出しているのである。

アメリカのジャーナリスト、レベッカ・ソルニットはスクープを意味する英語「ブレーク・

ザ・ストーリー」を、異なる視点でとらえることの大切さを訴えている(『それを、真の名で呼ぶならば　危機の時代と言葉の力』岩波書店)。真実のスクープとは、メディアの既存の優勢な価値観が閉じ込めているストーリーを解放することだとする。優勢な価値観に支配され、とらわれの檻にいて身動きできない人のそばまで記者が降りて行って、聴き取られなかった声を聴くことが、元々はスクープを意味した「ブレーク・ザ・ストーリー」の真の意味だとする。ソルニットは後の「ブラック・ライブズ・マター」を掲げた社会運動につながる報道、黒人が警察官に射殺される率が高いことを調べあげて世に知らせた。「小さな声」を作り出したメディアの権力志向やジェンダー不平等に向きあってこそ、聴かれなかった声を聴きとることができるのではないか。

ソルニットの言葉を知った時に、私自身も勇気をもらった。私は編集局で政治部や社会部などという中心的な部門にいたわけではない。社会部には短期間いたが、取材の力をつけることができたのは学芸部で生活担当をしたことが大きい。編集局に激震が走るような大きな事件事故が発生し、局中が沸騰したような雰囲気になった時でさえ、端で比較的に冷めた目で状況を見詰めていた。取材の基本が人々の生活に根差したニュースを追うことだったからだ。また一九九〇年に記者になった時、編集局に約一〇〇人いる記者の中で、女性は六人しかおらず、私は七人目の女性記者だった。新聞の視点は意識せずとも男性中心的だった。

私は取材だけに留まらず、社内でもさまざまな壁に直面し、問題克服に向けてジェンダー不平等がなぜ起こるのかを分析的視点から見るという立ち位置を取るようになった。

## ❖私が経験した「復帰」報道

「時代区分」という歴史の縦軸、そして「聴きとられなかった声」を意識しながら、「復帰」をどうとらえたらよいのか。私自身が体験した「復帰」報道を通して考えてみたい。

原稿を書くにあたり、私が一九九〇年に記者になる以前の「復帰」前後の報道も確認してみた。一九七二年の復帰時点の報道。社会面は「動揺 不満が先に 通貨交換 出足は低調」という見出しがトップにある。生活の不安が前面に出た記事だった。現在では五月一五日の紙面は、政治面では米軍基地問題と日本と沖縄の格差を埋めるために取り組まれた「沖縄振興開発計画」の流れから基地問題や経済、戦後処理などを柱に特集記事が組まれる。しかし、「復帰」から後の一〇年ほどは、人々の生活に重点を置いた報道が社会面でなされていた。「復帰」による物価上昇や大量解雇があった軍労働者の問題など切実な問題が記事化されている。現在でも「復帰」の日には県民大会が開かれる。そこには欠かさず「くらしを守る」という用語が用いられる。

一九七二年から続く大会のその言葉は、「復帰」による生活不安を現在にも伝える言葉だったといえる。一九八〇年代ごろまでは「復帰」関連連載の掲載は、当時まだあった夕刊社会面、朝刊よりは軽目の企画が掲載された紙面であった。内容は「観光戻し税」や食糧管理法（食管法）の導入など特別措置の廃止、生活や文化、世相などの現象を「復帰」以降として取り上げている。米軍支配下の社会から日本社会へ編入されていく時の摩擦や違いまでも含めて、「復帰」としてまとめられていた。

「復帰」から二〇年目の一九九二年は、私は入社二年目の記者として「復帰」報道に関わった。その一つが、先の県民大会に参加するため本土の労組が派遣する人々が参加する「五・一五平和行進」に同行することだった。「復帰行進」は一九七二年まで沖縄の人々が「復帰」をもとめて沖縄中を練り歩いた。その意義を継承するために、当時は三コースに分かれ本土の労組からの派遣も加わって沖縄中を行進していた。若い記者が一人ずつ丸一日を歩き、真っ赤に日焼けして会社に戻って、朝刊用の「同行記」を執筆した。

こうした運動と一体となった取り組みは、「復帰」を体験した先輩記者から受け継がれたことだった。先輩たちは一分一秒を争う紙面作りの現場を放棄して、労組員として「復帰」運動に参加していった。その間の紙面作成は管理職が行ったという。記者として書くだけではなく、運動にも身を投じ、沖縄社会の一員として、「復帰」闘争を支えたという思いを後輩記者にも伝えたい、そんな願いがこもっていたように思う。

また、編集局を上げて「復帰二〇年」を各部全て関わる横断企画として、土着政党の沖縄社会大衆党、自衛隊配備や教育問題を取り上げた。私は「復帰」を経た後の沖縄戦の認識や伝え方の変化に取り組んだ。局の年間企画として取り組む勢いがあり、相当に力を入れていたといえる。

しかし、ある年、若い記者で「復帰」企画をどうするか悶々と苦しんでいる時に、デスクの一人がこともなげに「なくてもいいいじゃないか」と発した。私たちはかえって反発して企画をまとめることができた。振り返ると、こだわりのないその口調は、「復帰」闘争を経た先輩記者には、どのような形であれ「復帰」は一つのゴールというとらえ方もあったと思う。それを裏付けるように、社会面の企画を担当したのは主に新人記者であったし、掲載面は夕刊だったからだ。

「復帰行進」を通して新人記者が学び直さなければならない事態こそが、当時から「復帰」報道の課題があったことを示していたのだった。一〇年後の二〇〇二年の復帰三〇年は私は関わることはなかったが、「復帰」前後を社会事象で捉えた内容だった。時代を映しながらも、施政権返還のみに終わった「復帰」をどうとらえるか、という視点がつかみにくいものであることを改めて考えさせられた。

## ❖「復帰」が問いかけた意味を知らぬ世代が多数

「復帰」報道の困難は、「沖縄問題」という言葉を切開することでも、課題が見えてくるのではないか。

「復帰」運動が求めた米軍基地撤去はかなわず、記者たちはその問題を米軍基地問題として報道している。「復帰」を巡って積み残しになった最も大きな問題はそれだ。だが、「復帰」によって沖縄が日本の領土となった時、「復帰」運動は終わった。「復帰」以降は、米軍に基地を提供している日本政府が沖縄の前に立ちはだかるようになった。沖縄の人々は米軍基地を撤去するために「復帰」運動に取り組んだのだが、日本政府は沖縄に米軍基地を置くために沖縄を「復帰」させた。沖縄と日本との関係性が「復帰」を境に変化した結果、現在の米軍基地問題が継続しているのだが、本土の人々には同胞への共感のある「沖縄問題」から、沖縄の人々のみが抱える「沖縄問題」と化していった。

「復帰」から五〇年がたった時、世代交代した記者たちには米軍占領や「復帰」運動の経験という共通基盤は完全になくなっていた。同時代の経験として「復帰」闘争を書くことができた記者たちから、歴史としてとらえなおさなければならなくなった記者やデスクたちへの世代交代が起こったことは前述した。しかし、前述したように「くらしの安心」という言葉が、現在も「復帰」を語る時には欠かせない言葉になっている。それは実感として受け止められているだろうか。

「復帰」によって、目標がいかに達成されたか。果たせなかった米軍基地問題は「沖縄問題」化しながらも、報道は継続している。それ以外に積み残された領域はないのか。あるいは見えないのか。「復帰」の年の紙面を見返すと、多くの人々が抱いた社会不安がどのように解決されたのかは、生活に関わる分野で丁寧にときほぐし検証されなければならないだろう。

そのために示唆的なのは、「復帰」の節目の度に報道各社が取り組んだ県民意識調査だ。比較分析のために設問は同じであり、その項目に「復帰」の良しあしを問う質問がある。「琉球新報」の調査では「復帰」一年後の一九七三年は、「復帰前が良かった」が三六・三%と最も多く、さらに一九七四年にも最も多く三八・六%とさらに二・三ポイント上昇していた。一方、「復帰後よくなった」一九七三年が二四・四%、一九七四年は二一・一%と減っている。この数値は基地問題が大きく変化した時期ではなく、むしろ「復帰」による物価上昇などの生活面のへの影響が反映された結果だろう。だが、後年になると「良かった」を選ぶ人の数値が上昇していく。しかし、これを単純に「復帰」を受け入れていると受け取るわけにはいかない。「復帰」直後の調査の課題は、「復帰」によるさまざまな社会システムの変更と生活への影響が直結しているにもかかわらず、暮らしぶりが「良くなった」「悪くなった」で回答されているからだ。

現在は数次に渡る沖縄振興開発計画による本土との格差是正が取り組まれ、また観光が沖縄の主産業となる中で経済は拡大発展したように見える。にもかかわらず、県民の所得は低いままだという雇用や生活の質の問題が残されている。では上昇し続けた「良かった」はいったいどのような変化に対する答えだったのだろうか。「復帰」が何を問うていたのかを、よく知らない世代が県人口の多数派を占めていく中で、漠然と「復帰」の功罪を問うことで、数字が積み重ねられた。そして「復帰はよかった」という意識が再生産され、拡散していったと考えられる。

沖縄の社会で問題になっている「子どもの貧困」という視点から考えてみたい。沖縄県の子どもの貧困率は二九・九％と全国の倍近い状況だ。沖縄県も対策に力を入れている。こうした問題の背景に沖縄の歴史は関係ないのだろうか。沖縄戦後米軍が支配する中で、沖縄社会が基地を中心とした経済構造がつくられ、一九六〇年代に沖縄の「高度成長期」を迎えている。しかし、戦前農村を中心とした社会は急激に変化し、農村から若い世代が基地の街へ就労のため流出して第三次産業は肥大した。このような流れで確かに生活が向上した人々もいるが、復興は皆に等しく訪れたわけではない。
私が取材した戦争孤児たちはそのころ二〇代や三〇代を迎えつつあった。義務教育である中学に通うこともできずに子守りや使用人、そして米兵個人と契約するメイドとして働いていた。高校までは進んだがせっかく出来た大学への進学は諦めた人もいた。戦争で父を失い、仮住まいの地で故郷に帰る日々を待った人々もいた。親の元で安心して暮らせず、貧しい中に懸命に生きた人々。皆が現在も困難な中にいるわけではないが、そうした人々は現在八〇～九〇歳代を迎えている。解決できなかった社会問題が、個々の課題、家族の課題となっていく。高齢者貧困の問題はまさしくこのようなことが背景にあるように思う。「子どもの貧困」にいかに影響しているのか、家族を現時点からだけで見るのではなく、世代が抱えた問題としてとらえる視点も必要だといえる。

「復帰して良かった」を選ぶ回答が見えなくするものとは、「復帰」によって解決されるべきだった課題であり、その課題を抱えたまま生きる人々である。数値で語られる発展は平均の上昇を問い続け、一人ひとりが生きる上での困難をならして見えなくしてしまう。沖縄戦と米軍支配という人々の連続した経験の中にある困難を見落としてしまう。さらに社会構造のジェンダーバイアスによって、女性や子どもたちが直面する複合的な困難は見えにくくなる。そうした視点が「復帰」報道には不可欠であり、それを意識することで「聴き取られなかった声」に巡り合う可能性は開かれていく。

## ❖私のデスク、取材体験から

「聴き取られなかった声」に出合う実践について、十分ではないにしても、私と若い記者たちの取り組みについてまとめてみたい。二〇〇九年に社会部デスクになった時、その年の新人記者を取りまとめ、沖縄の現代史の歴史経験の節目が訪れる五月から六月にかけて、「復帰」と沖縄戦について二つの連載を走らせた。「復帰」についての連載が「二七度線のパスポート」だった。米軍支配下では、沖縄の出入域には米国民政府が許可する渡航許可証（通称パスポート）が必要だった。米軍は「復帰」運動をしたり、反米的であると決めつけた人々に対してはそれを発行しなかった。個々人の移動をコントロールすることによる思想統制である。東京の大学に進学した後にいったん帰郷すると二度と沖縄から出ることができなかった者、学生運動をした結果、就職後にもビジネスでのアメリカ渡航の許可が出なかった者。多くの人々が夢を果たせず、希望をくじかれ涙を呑んだ。

「復帰」後や県外で生まれたことで、こうした体験を知らない若い記者に取材相手の胸を借りながら勉強してもらった。もちろん渡航許可証については何度も書かれている。しかし、先輩記者が「復帰」運動とともにあった書き方では伝わらない。ほとんどそうした事実を知らない若い世代にその人の生活に近寄り、感情のひだまで伝わるような細かな取材をしてもらった。そうすることで「復帰」運動の大衆的盛り上がりへとより上げられていく苦しみが背後にあったことを、一人ひとりの経験からとらえ直していった。

米軍の統治や制度面の変更など背景を書き込みながら人々が複雑な思いを抱いていたことを、現在にも通じる語り口で伝えるように工夫した。「復帰」を通して何を書くかという軸を据えることの大切さを改めて感じた。

## ❖「琉球人形」と女性たち

この時の経験から「復帰」企画のデスクを当時の子ども世代がするような時代には、もはや従来の聞き書きのスタイルでは書くことができなくなる時代が迫っていることを痛感した。二〇一〇年に一年間休職し、県外へ出て大学院で学び直し始めた。大学院の若い研究仲間の中でもまれ、議論を通してゆっくりと考える時間を得た。すぐには成果がでるはずもないが、なにか新しいことを書いてみたいという気持ちが強くなった。それが、市井（しせい）の人たちの戦後史を書くことだった。

その一つが「琉球人形」と女性たちだった。「復帰」直後の沖縄観光ブームで大変人気があった土産物である「琉球人形」。しかし、現在も観光ブームが続く沖縄では、もはや「琉球人形」を土産物屋で見ることはなくなった。一九九〇年に台湾から琉球人形が輸入されていることを取材で知った。そうしたひっかかりの中で、皆が良く知っているにも関わらず、全容も知られないままに忘れられようとしている「琉球人形」を書いてみようと思った。戦後いかに誕生したのか、そして作り手はいったいどのような人々だったのか、資料もほとんどない中で、作り手たちを探し出した。分かったことは占領初期の通貨のない時代から、女性たちが軍作業に出る父親や兄弟に託し、米兵向けに買い取ってもらった土産物が始まりだったことだ。

さらに「首里婦人手芸同好会」が結成され、琉球王府時代の衣装や踊りを再現して「琉球人形」を洗練させていったことだった。指導者の徳村光子さんは「戦争未亡人」や戦争孤児となった女性たちのために就労場所作りとして事業所を設立した。「復帰」までに観光の一大ブームを支えた「琉球人形」には、それまで聴き取られることがなかった女性たちの創意工夫、共助、復興する社会を自らの手仕事で歩み出したという希望が込められていたのだ。またそれまで日本社会に同化することで遅れたものと見られた伝統的な琉装に象徴される文化の再発見、それは戦禍で失われた沖縄の歴史や文化を女性たちの手仕事で再現するような意味もあった。こうした女性たちの思いを連載「私の琉球人形」にまとめた。

戦後史を社会運動から書かない私の記事は、編集局内では正直何を書いているのかと疑問すら抱かせたと思う。しかし、その連載を通して、徳村さんの遺族が大切に保管してきた貴重な資料を那覇市歴史博物館に寄贈する橋渡しをすることができた。それをもとに同博物館は企画展を行ってくれた。

戦後を必死に生きぬこうとした女性たちの姿を社会に伝え、歴史として刻むことができたと私自身は手ごたえを感じていた。

## ❖伊江島米軍LCT爆発事件

二〇一七年には再びデスクとして「復帰」企画を担当した。連載「境界線を生きる」は、サンフランシスコ平和条約の発効で、沖縄と日本を隔てることになった北緯二七度線を越えることの意味を問う内容だ。ただし、この時は北の日本だけを凝視するのではなく、一九四七年台湾で起きた白色テロ「二・二八事件」の県人被害者、奄美の人々の「復帰」を取り上げた。当時の沖縄が米軍が形成する東アジアの軍事ネットワークの中にあることを意識しながら取り組んだ企画だった。「復帰」闘争が問うたことを生活の場から、人々の目の高さから問う、人々の経験とともに描いていくことは可能だと考えた。

こうした手法で取り組んだのが伊江島の米軍LCT（弾薬処理船）爆発事件だ（『沈黙の記憶一九四八年、砲弾の島　伊江島米軍LCT爆発事件』インパクト出版会）。一九四八年に砲弾を運びだす米軍LCTが爆発した事件で死者が一〇七人という甚大な被害が出ている。二〇〇八年から約十年かけて三シリーズの連載を書いた。この事件にこだわったのは、米軍支配下で最も多い死者が出たにも関わらず、伊江島以外ではほとんど知られていなかったからだ。新聞は事件の発生当初こそ伝えてはいるが、十分に事件を検証することはなかった。なぜならば、米軍支配下で新聞用紙も資材も米軍に頼り、検閲もあった。そのため新聞がまだペンで支配者米軍とは闘うことができなかった。

伊江島の砲弾は日本本土を空爆するためのものだった。だが、日本の降伏が早まったため、沖縄には大量の砲弾が各地に野積みで貯蔵されていた。そうした中で沖縄の人々の復興が始まったためとても危険な状態だった。沖縄島での砲弾処理は、まず米軍兵士への危険性を最優先として着手されたが、その中で米兵が少ない伊江島での処理は沖縄島より後回しにされた。占領初期に島に戻れず各地に離散していた伊江島の人々が戻ってようやく一年たったころに、爆発事件は起きている。事件から半世紀がたった二〇〇八年に沖縄県公文書館が米軍資料を公開し、それを読み解くことでＬＣＴ事件の重大性が分かってきた。

伊江島の人々は事件で被害にあったが、砲弾貯蔵を巡って伊江島が置かれた状況は当時は分かっていなかった。「沖縄戦の縮図」といわれた伊江島では、このＬＣＴ爆発事件で若者や子どもたちが多数亡くなり、さらに一九五五年には米軍基地建設のための「銃剣とブルドーザー」と呼ばれる軍用地強制接収が始まる。沖縄島が復興を始める中で、伊江島の人々は希望を抱こうとしてはそれをくじかれながら戦後を歩まざるを得なかった。当時の新聞は事件の発生とその後支援などを数回取り上げたが、人々の声を伝えてはいない。遺族から補償要求が検討され、ようやく残された人々の苦しい生活を断片的に紹介している。しかし、報道はこの事件の意味を十分にはとらえきれていなかった。

毎年、「きょうの歴史」としてわずか数行の記事に、長年人々の悲しみと苦難を閉じ込めてきたのだ。入社一年目にその数行の記事の死者数に驚愕したが、何を探しても資料はなく、どうすることもできずにそのままになっていた。「復帰」以前の米軍支配下ではできない取材、事件の意味を十分にとらえられずに、新聞は伊江島の人々の声を「小さな声」としてしまったのだった。だからこそ、驚きをもって受け止めた二〇〇八年の資料公開をきっかけに私は、若い記者を巻き込んで取材に着手した。被害者の人々と出会っていくことで、現在に生きる人々の思いを伝えることができる。一〇年の間に時間を見つけては取材してきた実感だ。「復帰」を伝えることとは、先を歩んだ記者たちの取材の限界性、それが占領そのものによって引き起こされていることを意識しながら、粘り強く証言をもとに聴き取られない人々の声を届けることであった。

## ❖懸命に生きる女性たちの道のりへの視線

歴史の中に、人々の声を聴いて、現在を考えるということ。ジェンダー不平等の中で聴き取られなかった声をいかに聞いていくかも課題である。

二〇二一年に出版した『戦後沖縄と復興の「異音」米軍占領下復興を求めた人々の生存と希望』(有志舎)から一つの場面を紹介したい。第一章は占領初期に始まる「ミシン業」が軸である。女性たちが、収容地区で着の身着のままの人々のためにミシンで米軍物資を用いて衣類を縫い始めたこと、社会再建の中で洋裁講習所が各地にできたこと、その中には「戦争未亡人」や戦争孤児たちもいたこと。女性たちが立ち上げた衣類専門市場、戦前には大きな産業としてなかった衣類製造が家庭や小さな事業所の女性たちの働きによって現在の「かりゆしウェア」の基盤となる業界へとつながることを紹介した。といっても衣類製造の発展史ではない。ミシンの前に座った女性たち一人ひとりの生きるための労働がさまざまな場所でつながっていくこと、そこに託された復興の希望を描くことが目的であった。バラバラに見える女性たちのいた場所を「ミシン業」と見ていくことで、個々の女性たちの生きつなごうとする姿と共助が見えてきた。

それを象徴するような場面が一九五〇年の雑誌「月刊タイムス」に掲載されている。記事を書いたのは戦後初めての女性記者となった伊波圭子さんだ。当時社会問題化していた、「パンパン」と呼ばれた女性たちをルポした記事だ。その中に昼間の洋裁店の店先にたむろする「パンパン」の女性たちが描かれている。女性の洋裁店主は彼女たちに邪険にすることもない。伊波さんはその光景について、取り締まりの警察が追ってくるわけでもなく、誰にもじゃまされずに「パンパン」の女性たちが安心してそこにいることができる場所だと書いている。

伊波さんの取材に、女性は身の上話を始める。沖縄戦で夫を失い、一人で子を育てようと、子のない夫妻のために出産した。一生面倒を見てあげるといわれたからだ。しかし、約束は反故（ほご）にされ、生んだ子は取り上げられた。女性は自分の子も病気で失ってしまい、「パンパン」になったのだと打ち明ける。昼間に洋裁店に遊びにくるのはミシンへの憧れがあるからだ。洋裁の技術を身に付けて「ミシンの一つでも買って、この泥沼から逃げ出したい」と女性はつぶやく。伊波さんは、世間から厳しい視線を向けられる女性のかすかな希望を聴き漏らさず記している。

この記事には書かれていないが、伊波さんは沖縄戦後、羽地村の収容所に入れられた後、そこで女性たちのために洋裁講習所を開いた。当時は働ける者は食糧集めや収容地区を維持する労働に就かなければならず、働くと余分に配給がもらえた。食糧不足で飢餓すれすれの中で、そうしなければ生きていけなかった。しかし、女性には危険が付きまとい、畑の芋掘り作業中に米兵に拉致されて強姦されるという事件が相次いだ。また、そのまま行方不明になってしまう事例もあった。女性たちが危険な屋外に出ないで働けるようにと伊波さんは洋裁を教えたのだった。こうしたことを知ると、取材の中で黙々とミシンをかけ言葉を発しない女性店主が、なぜ店先でたむろする「パンパン」の女性たちをそのままにしておくのかが分かる。

記事からは記者としての伊波さん、洋裁店主、「パンパン」の女性は同様に占領期の困難から生きぬこうとする女性たちであること、互いの痛みへの共感とそして共助が感じられる。苦難の人生を歩む「パンパン」の女性の困難とは個人に閉じた問題ではなく、沖縄戦と米軍支配に由来する。彼女と私たちは何が違うのか——。伊波さんはそうした思いを込めて書いたことが記事からは伝わるのである。

伊波さんはその後、新聞や放送という報道の仕事をやめて、女性労働を担当する琉球政府職員になった。記者としての仕事は伊波さんが自伝に収録するまで充分には注目されてこなかったと思う。しかし、本人が葛藤を抱えながら書き残したこの視点は、「復帰」五〇年を迎える時に再度とらえ直されるべき視点でもあったと考える。伊波さんは「復帰」後に、初代の沖縄労働局婦人少年室長を務めた。また、後に続く女性たちを育てるために約一〇年間「女性問題懇話会」を主宰している。女性たちを支援するために様々な分野の女性たちとともに勉強会を続けた。

一九九五年の世界女性会議北京大会で、世界の女性たちと「軍隊による構造的暴力」という視点で繋がった高里鈴代さんはこの年、米軍の性暴力に対する「基地・軍隊を許さない行動する女たちの会」を結成した。高里さんらもまた伊波さんの勉強会で学んだ人々だ。小さな女性集会を繰り返し、既存の女性団体に共同行動を呼びかけていた。そして取り組みを積み重ね、基地関連大会の中に女性の視点を位置づけるように浸透させた。だが初期のころは男性運動家から、「基地の問題を女の問題に矮小化するな」と罵声がとぶこともあった。また新聞社ではそれを批判した記事の掲載が危ぶまれた。

しかし、女性たちがこうした社会を変えていかなければという思いでそれぞれの場所で活動し、米軍基地問題の中に女性たちの言葉が根付いていったといえるだろう。「聴き取られなかった声」を聴き取り、社会にその言葉の居場所を獲得する道のり。米軍支配下の記者だった伊波さんが後に労働分野に留まらない多くの領域で女性を支援し、女性たちがさまざまな領域で困難な中をもがきながら実践した結果だった。こうした視点から、報道は米兵による性暴力事件に対して女性たちがそれをなくすため、被害者を支援するために何をしてきたのかを問い直すことが重要だろう。

沖縄戦、米軍支配の二七年、「復帰」後の後を連続して捉えることで、何が変わったのか、何が問題として継続しているのかを問うことができるはずである。

こうした流れの中の新たな取り組みとして注視されたのは、二〇二三年に東京の映像制作会社「テムジン」が製作したドキュメンタリーだ。沖縄出身者も含む女性だけの取材チームで、小柳ちひろディレクターが撮った「沖縄の夜を生きて　基地の街と女性たち」（ＮＨＫ）だ。沖縄の基地周辺の街で生きてきた女性やその子どもたちが、実名で登場したドキュメンタリーだった。声高に米軍基地問題を取り上げずに、米軍基地による地域社会の変化、そうした中で生き方を狭められながらも懸命に生きようとした女性たちの道のりを受け止めて、女性たちの言葉で記録した素晴らしい作品だった。

「復帰」運動では埋没し、米軍基地問題で近年になって取り上げられるようになったジェンダーの問題は、このようにして聴き取られるのだと感じさせたドキュメンタリーだった。

## ❖「沖縄問題」という言葉のもつ隠蔽性

米軍基地問題を「沖縄問題」という言葉で表す時の限界については、前述した。その言葉は、沖縄の現在と日本の占領体験を覆い隠す作用も果たしている。沖縄県外の多くの人々は、日本占領が終った後に、米軍が自由に使用できる沖縄に米軍基地が移されたことを知らない。「沖縄問題」とすることで米軍基地に関わる問題を沖縄だけで起こる対岸の火事のように思っていないか。

しかし、日本の占領下でも現在沖縄で起こっているような事件が起きている。大阪大学の藤目ゆきさんが『占領軍被害の研究』（六花出版）として二〇二一年に出版している。同書は日本占領下で、武装解除や占領行政の中で、連合軍によって引き起こされた事件を丹念に調査している。民家に米兵が入ってきて女性を強姦したり、その夫を殺害する。不発弾処理で間違った処理をして、ぼた山が消えてなくなるほどの爆発で何百人が死んでしまう。占領下の日本各地でそのような事件が起きていた。しかし被害の実態は長らく知られてこなかった。そのことがこの問題の深刻さを伝えている。

そのために被害者の存在は忘却されている。現在も続く米軍被害を基地が集中する「沖縄問題」とすることで、本土の人々の足元には「聴き取られない声」が埋もれているのをそのままにしているのだ。日本の米軍占領を語る言葉からは多くの事件が抜け落ちており、被害者や関係者は社会の中に言葉の置き場所がなく沈黙を続けている。十分な補償も受けられず、声を上げられない。

こうした足元の歴史について知ることの大切さを、大学で非常勤講師として若者たちに伝えている。学生は、沖縄戦や「復帰」については高校までの特設授業で学んでいる。しかしそれは苦しい歴史だったと話す学生もいる。そうした時に、私は新聞記者だったという立場から歴史は現在を読み解くカギとすることが大事だと伝えている。

例えば大田昌秀さんや歴代の沖縄県知事が渡米して基地問題の解決を図ろうとしてきたのはなぜか。こうした行動には、外交は国の専権事項という批判を県外からしばしば受けることがある。琉球の歴史では薩摩侵攻後、琉球国が外国と交渉する術が失われていく歴史でもあり、最終的にそれは閉ざされる。それが国を失うということである。

知事たちの行動を、歴史の出来事から考えることで、学生たちは歴史が積み重なって現在があることを理解できるようになる。歴史と現在がいかにどうつながっているかを理解すると学生たちは自身で考えはじめる。非常に遠回りで時間がかかるが、伊波普猷がニーチェの言葉を「深く掘れ己の胸中の泉、餘所たゆて水や汲まぬごとに」と沖縄の言葉に翻訳して伝えたように、足元の歴史を知ることは自分で考える力をつけ、地域の中で生きる力につながっていく。

歴史学者のリン・ハントは『なぜ歴史を学ぶのか』(岩波書店二〇一九年)で次のように述べている。「歴史は民主主義社会の防衛のための最前線ではないかもしれない。しかし最前線に近い位置であることは間違いない。なぜなら歴史の理解はうそを構成する事実誤認という霧の中をかき分けて進む能力を高めてくれるからである」。

このような言葉に触れると力が沸きあがってくる。新聞の中で課題である歴史経験を取り上げる報道が、「復帰」報道を含めて実は大きな意義あることに気付かせてくれるからだ。

# 第3章

# 日本にとって沖縄とは何か

佐古 忠彦

【さこ・ただひこ】1964年神奈川県生まれ。ＴＢＳテレビ報道局エキスパート職ディレクター、映画監督。「筑紫哲也ＮＥＷＳ 23」「Ｎスタ ニューズアイ」などでキャスターを務めながらドキュメンタリーを制作。2013年から「報道の魂」「ＪＮＮドキュメンタリー ザ・フォーカス」プロデューサー。2017年に映画「米軍が最も恐れた男 その名は、カメジロー」発表後、「米軍が最も恐れた男 カメジロー不屈の生涯」(2019)「生きろ 島田叡ー戦中最後の沖縄県知事」(2021) を公開。著書に『米軍が恐れた不屈の男 瀬長亀次郎の生涯』(講談社 2018)

私が沖縄と深く関わるようになったきっかけをつくってくれた番組がある。TBSテレビ『筑紫哲也NEWS23』だ。この番組に参加していなければ、いまの私はないと言っても過言ではないと思っている。いまも放送されている『news23』は、かつて、ジャーナリスト「筑紫哲也」の名を冠した番組だった。朝日新聞の記者だった筑紫さんをメインキャスターに迎え、一九八九年一〇月にスタートしたTBSの新たな看板ニュース番組だ。私が筑紫さんの横に座ってニュースを伝えることになったのは、番組が八年目に入る一九九六年のことだった。それから、一〇年の時をともに過ごすことになる。

## ❖「少女暴行事件」で燃え上がった「沖縄の怒り」

一九九六年とは、どういう年だったのか。実は、名護市辺野古の埋め立てをめぐる問題の、いまにつながる長い混迷が始まる年だった。その年の四月一二日、当時の橋本龍太郎首相がモンデール米駐日大使と会談後、ともに立った首相官邸の会見室で、こう発表した。

「普天間飛行場は、今後五年ないし七年以内に、これから申し上げるような措置が取られたのちに全面返還されることになります」

その発端は、前年の九月に起きた三人の米兵による少女暴行事件。翌一〇月には八万五千人が集結し、「米軍人による少女暴行事件を糾弾し、日米地位協定の見直しを要求する沖縄県民総決起大会」が行われた。米占領下時代も併せて、沖縄では、住民が基地のありようなどに抗議し、意思表示する大会は多く行われてきたが、この大会ほど怒りに包まれた大会はなかったのではないか、と多くの人が振り返る。団体による動員ではなく、誰もが自らの強い意思で、こぞって会場となった宜野湾市の海浜公園にかけつけたという。壇上には、保革を越えて沖縄の名だたる政治家たちが並んだ。

中国訪問から帰国したばかりで、急ぎ那覇から高速チャーター船で宜野湾に駆けつけた大田昌秀県知事は、演壇から開口一番「行政の責任者として、大切な幼い子どもの人間としての尊厳を守れず申し訳ありませんでした」と謝罪した。事務方が準備した挨拶の案文ではなく、自然に口を突いて出た率直な気持ちだったという。

そして、日米両政府に訴えた「沖縄の本音」。継いだ言葉は「これまで沖縄は、あらゆる意味で国に協力を余儀なくされてきました。今度はアメリカ政府とわが政府が協力する番です」怒りの声とともに米軍基地の整理縮小の声が高まり、日米両政府も対応せざるを得なくなった。

## ❖「普天間返還」は「県内移設」が条件

橋本・モンデール両氏の会見から遡(さかのぼ)ること二か月、米・サンタモニカでの首脳会談で、クリントン大統領から「沖縄の問題で言い残したことはないか」と問われた橋本首相がどう対応したのか。官房副長官として会談に同席した渡辺嘉蔵氏に取材すると、現場のやりとりを、こう教えてくれた。

「外務省の役所の人々は、固有名詞を出さないでくれと。でも橋本さんは、〝例えば普天間の飛行場の撤収だ〟と、ずばっと切り出した。クリントン大統領は頷(うなず)いた、二回。これは印象的でしたね、二回頷いたんだから」

渡辺氏はこう言って、うん、うんと二回頷いてみせた。

歴史的な瞬間といえた。長い間閉ざされていた重い扉が開いたはずだった。だが、結局は、県内たらいまわしの構図、つまり県内移設を経ての〝返還〟であることが明らかとなる。前述の「これから申し上げるような措置が取られたのちに」の実体だ。実際、会見の日の昼過ぎに事前に〝普天間返還〟の発表を直接電話で大田氏は知らされていたが、その際、橋本首相から「県内に代替施設が必要になるかもしれない」と告げられていた。首相会見で述べられた〝措置〟は、既存の米軍基地に新たなヘリポートを建設する、嘉手納基地に追加的施設を整備し、普天間基地の一部機能を移転、統合する、などだったが、紆余(うよ)曲折の末に発表された代替施設は海上ヘリポート構想だった。

橋本、大田両氏の会談は一七回を数え、政府サイドには、この代替海上ヘリポート案を大田知事が受け入れる、という期待があったが、一九九七年一二月の「米軍のヘリポート基地建設の是非を問う名護市民投票」で反対が大勢を占めたことを主な理由に、大田氏は拒否。その後、一気に政府と県の関係は冷え込み、知事の交代劇にも結び付いた。以来、辺野古は四半世紀を超えて、混迷の渦の中にある。それは、そのままこの国のありようが浮き彫りになる歴史でもある。

## ❖筑紫哲也氏が残した「沖縄に行けば日本がよく見える」

そんな混迷が始まった年に加わった番組では、必然的に沖縄についての議論をよくしたが、そのたびに筑紫さんが言っていた言葉がある。

「沖縄に行けば日本がよく見える。この国の矛盾がいっぱい詰まっているんだ」

筑紫さんの言葉に、ある意味では突き動かされてきたような気がしている。それは決して私だけではない。当時の『ＮＥＷＳ23』では、すでに先輩ディレクターたちが、それぞれ自分のテーマを見定め、沖縄に行ってはモノづくりをしていた。基地問題、文化芸術、自然環境……テーマは様々だった。筑紫さんが日本復帰前の沖縄特派員だったこともあり、『ＮＥＷＳ23』は、沖縄に眼差しを持った番組だったが、沖縄を取り上げることについて、筑紫さんは、こんな言い方をしていた。

「自分の個人的志向のせいだと、思っている向きも多いが、そうではない。一度、沖縄を取材すれば、はまってしまうスタッフが多い。まともなジャーナリストの感覚があれば興味をもたないほうがどうかしている」

番組は、多面的に沖縄を取り上げ、そこから見えるこの国の現在地を伝えて来たという自負がある。

そんな筑紫さんが言う、まさに〝日本がよく見える〟を象徴する一つが辺野古ではないだろうか。そして、私にとって、沖縄は最も多く足を運ぶ現場となった。いまもって、筑紫さんに背中を押されているような思いでいる。その現場で目にするのは、戦後日本の多くの矛盾を背負い続ける姿である。

## ❖「復帰四〇年」の年に「オスプレイ配備」

今回のシンポジウムは、沖縄の日本復帰五〇年、さらには、沖縄文化研究所の創立五〇周年を記念して、ということだが、一〇年前、復帰四〇年の年にも、この法政大学でシンポジウムが行われた。『復帰』四〇年、これからの四〇年」というテーマだった。そのシンポジウムには、前述の普天間代替施設をめぐる混迷の末に知事選を戦うことになった、二人の元知事・大田昌秀さんと稲嶺惠一さん、元沖縄タイムスの新川明さん、そして、今日の司会の新崎さんのお父さまで沖縄戦後史研究の第一人者の新崎盛暉さんが壇上に上がっていらっしゃって、私は客席側から話をずっと聞いていた。まさか、一〇年経って、私が壇上に立っていようとは夢にも思っていなかった。そのシンポジウムで、四人から出てきたキーワードは、復帰とは何だったのか、憲法、祖国、日本にとっての沖縄、東アジアの中の沖縄、基地と経済、沖縄振興、構造的沖縄差別、などだったことを思い出す。一〇年経っても、投げかけられる課題は変わっていない。

その復帰四〇年の年を思い返してみると、実は沖縄にとって非常に大きな意味を持つ年だったのではないかという気がしている。二〇一二年は、「最低でも県外移設」を掲げた民主党が政権交代を果たして三年、結果的に、政権を担った最後の年となり、年末に安倍政権が復活した年である。

当時、のちに県知事となる翁長雄志氏は那覇市長だった。自民党沖縄県連の幹事長も務め、まさに保守のど真ん中を歩いてきた人物だ。その翁長市長が先頭に立って、オスプレイの配備に反対をしていた。オスプレイをめぐっては、民主党政権でも、当時の野田佳彦首相が述べた「配備は米政府の方針であり、同盟関係にあるとはいえ、どうこう言える話ではない」という言葉に、日米関係を象徴すると感じたものだった。

その年の一〇月一日にオスプレイは普天間基地に配備されることになるが、その三週間ほど前の九月九日、炎天下の宜野湾市・海浜公園で配備反対の県民大会が行われた。一九九五年一〇月に、あの少女暴行事件を受けて行われた県民総決起大会と同じ場所である。「オスプレイ配備に反対する沖縄県民大会」には、再三の出席要請にもかかわらず、仲井眞弘多知事の姿がなかった。メッセージが代読されると、一〇万三千人が集まった会場から「要らなーい！」「なぜ、県民大会に県知事が来ないのか！」と大きなブーイングが沸き起こった。たしかに、二〇一〇年に行われた「米軍普天間飛行場の早期閉鎖・返還と、県内移設に反対し国外・県外移設を求める県民大会」には政党の別なく政治家が顔をそろえ、その先頭に仲井眞弘多知事がいた。「日本全国でみれば明らかに不公平、差別に近い印象すら持ちます」と壇上から訴えていた。だが、その姿は、二〇一二年にはない。

いま思えば、その後、袂を分かつことになる仲井眞氏と翁長氏の最初の分水嶺だった気がする。その県民大会で翁長氏が述べた言葉は、いまでも忘れられない。

「日米両政府のこのやり方は、時代背景からしても、銃剣とブルドーザーで土地を強奪したのと一緒だ。県民は心を一つにしなければならない。そうしないと、沖縄の弱さもまた出てくる」。

この言葉を聞いたときに、やはり歴史は地続きで、なお繰り返していることを、深く考えさせられた。二七年に及んだ米占領下、とくに朝鮮戦争の勃発で、米軍が反共の砦として沖縄の恒久基地化を進めていた当時と手法は一緒だと訴えたのだ。さらに印象に残るのは、団結を訴えたことだ。銃剣とブルドーザーの時代に、団結を訴えたのは、沖縄の抵抗の象徴、不屈の政治家・瀬長亀次郎だった。

## ❖戦争を知らなさすぎる国会議員たち

そんな時代を彷彿させる二〇一二年。年末には安倍政権が復活。それらを起点にして、今日までの出来事を考えれば、沖縄と国との対峙というものが、最も深刻化して、鮮明になった一〇年だったのではないか。そうなると、この復帰五〇年の視点は、どうしても、政権との向き合い、本土との関係に焦点が合っていく。

その視点で沖縄と本土の関係を考えるとき、思い出す言葉がある。大田昌秀元知事が、研究者時代から、知事を経て、参議院議員としても国会で問い続けたテーマ「日本にとって沖縄とは何か」である。

大田氏は、琉球大学教授から転身、一九九〇年に沖縄県知事に就任した。冒頭に挙げた橋本首相と普天間基地をめぐり向き合いながら、苦悩した人物である。三期目を目指した九八年の知事選で、稲嶺恵一氏に敗れた後、二〇〇一年に参議院議員となる。一期六年務め、二〇〇七年に引退した。国会を退くにあたり、六年の感想を聞くと、大田氏はこう言った。

「自分は国会に何のために出て来たのか。憲法を大事にしたくて出て来たのに、全く逆の結果を見て帰る。胸が痛い。反省、つくづく無力さを感じさせる思いだ。本当に国会に出てきてよかったのかな。悪法を通す補完的役割しか果たしていなかったという悔いがある。力が足りなかった、何もできなかった、という自分を責める言葉しか出て来ない」

一九歳で鉄血勤皇隊（てっけつきんのう）として沖縄戦に従軍、多くの仲間を失い、その体験を原点に、二度と沖縄を戦場にさせないために、研究者として、知事として生きた人である。沖縄戦と戦後の占領下の生活の体験から、平和憲法の下への復帰を目指した「沖縄の心」は、「反戦平和」「人権回復」「自治確立」という考えが柱になっていることを常に強調してきた。だからこそ、国会で目の当たりにしたこの国の風景を嘆いた。

「勇ましいことを言う議員たちが多く、戦争の本当の怖さを知らないのではないかという疑問を抱く。国会で感じるのはあまりにも戦争のことを知らなさすぎるということだ」

## ❖沖縄は日本にとって政治的な質草

大田氏は、参院議員としての最後の年、就任からわずか一年で退陣することになる安倍晋三首相に、二人の最後のやりとりとなる国会質問で問うた。

「安倍総理にとって沖縄とは何ですか。つまり、総理の沖縄に対するご認識をお聞かせください」

すると安倍首相は、沖縄は日本で出生率が最も高く、若い人口が多いとして、「沖縄には日本の未来がある」と述べた。さらに、日本の地図では南端に位置するが、アジア全体でみればアジアの中心とも言えるとしたうえで、「アジア全体が一つになっていく中において、沖縄の未来は大変すばらしいものがあるのではないかと確信している」と答えた。

だが、それに対して大田氏はすぐさま、こう返した。「私は大変暗いと認識しております」

大田氏にこの日のやりとりを振り返ってもらったことがある。「未来は大変すばらしい」と言いながら、強行的に迫る政府の姿勢を、大田氏はこう断じた。

「温度差なんていうものではなくて、人間的情感の問題だ」

〝人間的情感〟の問題——。両者の関係を表すのに、とても核心を突いた言葉ではないか。実は、この二〇〇七年五月に、辺野古新基地建設に向け、辺野古沖で環境現況調査を行うにあたり政府は、海上自衛隊の掃海母艦を派遣した。大田氏は、このことを念頭に、こう続けた。

「たかが環境調査をするのに軍艦を派遣する発想は、明治政府が廃藩置県で言うことを聞かないと軍隊をもってくるのとそっくり同じだ」

大田氏のこの言葉は、前述のオスプレイ配備反対の県民大会で翁長氏が言及した「銃剣とブルドーザー」も想起させる。琉球処分をした明治政府や、米統治下で米軍がやってきたことが、現代の日本政府の姿勢と重なり合って同じ風景となって見えてくるのだ。翁長氏が知事就任後に、「日本を取り戻すとよく言うけれども、その取り戻す日本の中に沖縄は入っているのか」と嘆いた言葉と重なって、時を超えて、同じ知事の立場で政府と向き合った大田氏の言葉がよみがえってくるような気がする。

その大田氏自身に、自らがこだわり続けたテーマについて聞いてみた。この国にとって沖縄とは何なのか。大田氏の答えは、端的で非常に厳しかった。

「沖縄は日本にとって政治的な質草である。取引の具だ」

そう述べた大田氏と翁長氏は、実はかつて対立を極めた二人だった。県議時代に革新の大田県政を徹底的に追及し、大田氏が三期目を目指した知事選で稲嶺惠一氏を擁立、県政交代に追い込んだのが、保守の翁長氏だった。その後、普天間基地の辺野古移設を条件付きで受け入れたことに関わった。だが、その後政府は、合意のための沖縄県の条件を反故(ほご)にし新たな移設計画に変えてしまう。そして、翁長氏の、その後の政府との向き合いも言葉も、だんだんと大田氏と重なるようになっていく。かつて激しく対立した二人は、ともに在任中に国と裁判を構え、米軍関係者による女性への事件が起き、辺野古をめぐって苦悩するなど、多くの共通点を持つようになる。

## ❖沖縄の意思に向き合わない日本政府

沖縄のリーダーが代わっても、変わらない両者の関係に見えてくるのは、この国の民主主義のありようだ。その選挙対策本部長を務めたものの、その後、辺野古埋め立てを承認した仲井眞知事と袂を分かった翁長氏が当選した二〇一四年の知事選挙に象徴されるように、沖縄は、ずっと意思を示し続けてきた。辺野古などの基地が問われた選挙はもちろん、住民投票も含めて、さまざまな投票行動で一貫して意思を示してきた。

私が最初に取材をした、そうした投票の現場は、一九九七年一二月の名護市民投票だった。大田氏が海上ヘリポート案を拒否する理由に挙げた投票だ。ヘリポート基地建設の是非を問うた市民投票。投票所となった学校の正門前には、門をはさんで賛成、反対両派がのぼりを立て、にらみ合い、小競り合いを続けていた。国の安全保障をめぐって小さな町の市民が分断された中で、過半数に達したのは反対の意思だった。

それ以降、民意は、確実に強固なものになっていった。しかし、政府は、そこに正面から向き合おうとせず、特に近年では、その民意を背負った知事の対話要請に応えることもない。沖縄が示し続ける民意と政治の間には、大きな落差がある。

安倍政権復活の前日、民主党政権最後の日に、森本敏防衛大臣が最後の閣議後会見で述べた言葉は、それを象徴的に表している気がしてならない。普天間の移設先について問われた森本大臣は「軍事的には沖縄でなくてもいいが、政治的に考えると、沖縄がつまり最適の地域である」と結論した。それを導くのに「地政学的に言うと、私は沖縄でなければならないという軍事的な目的は必ずしも当てはまらない。軍事的に言えばそうなる。政治的にそうなるのかというと、そうならない」とし、その政治的な理由として「許容できるところが沖縄しかない」と説明した。これは、逆に言えば、政治が動けば変わるということを意味するのではないか。

しかし、政治がやってきたことはいったい何だったのか。振り返ってみれば、総理大臣が「県外移設だ」と言えば足を引っ張って孤立させる。そして政権が再び替わると、当時の自民党の幹事長は、沖縄から選ばれた国会議員に、その選挙公約だった「県外移設」を辺野古移設容認に方針転換させ、そして名護市長選挙では、投票三日前に、五〇〇億円の名護振興基金をつくるとアピールした。翁長氏は、これを《札束で頬を叩くような露骨な集票対策》（『戦う民意』角川書店二〇一五年）と批判している。

民主主義というのは、確かに多数決である。だが、少数派の意見をきちっと聞いて、重んじていくというのも民主主義だ。沖縄には、いわば占領軍の圧政の下で一つひとつ民主主義を勝ち取ってきたという歴史があるが、一方で、民主主義をいわば与えられた側である本土の強者の多数派が、皮肉にも民主主義だと言って少数派をのみ込み続けて、強行的に進め続けるというこの構図は、とても民主的とは言えないのではないか。そういった意味で、民主主義の質が問われているのだろうと思う。「沖縄には沖縄の民主主義があって、国には国の民主主義がある」と言った大臣もいたが、そういう現状の中で、沖縄の抗(あらが)いが続いているのだ。

### ❖本土側から抜け落ちている沖縄の歴史への認識

問われているといえば、民主主義の質だけでなく、歴史観、歴史への向き合い方についても同様ではないだろうか。

二〇一四年一一月に翁長氏が知事に当選してから、政権は翁長氏となかなか会おうとしなかった。それが就任から四か月が経とうとしていた二〇一五年の春、沖縄のホテルで当時の菅官房長官と翁長氏が相まみえる日がやってくる。かなり狭い部屋で、取材者のすべてが入れるというわけではなかったが、途中までの公開のやりとりを、生で聞くことができた。

そこで、菅氏が繰り返す「辺野古移設が唯一の解決策」「粛々と辺野古を進めていきます」というコメントに対して、翁長氏は、沖縄がアメリカの統治下にあったときの最大の権力者・高等弁務官の三代目、キャラウェイという人物の名前を出して、批判した。

「官房長官が粛々と、という言葉を何回も使われるんですよね。僕からすると問答無用という姿勢が、大変埋め立て工事に関して、感じられて、その突き進む姿というのは、サンフランシスコ講和条約で米軍の軍政下に置かれた沖縄、そしてその時の最高の権力者がキャラウェイ高等弁務官だったが、その弁務官が沖縄の自治は神話であると言った。私たちの自治権獲得運動に対して、そのような言葉でキャラウェイ高等弁務官がおっしゃって、なかなか物事は進みませんでしたけど、いま官房長官が粛々と、という言葉をしょっちゅう全国放送で出てまいりますと、なんとなくキャラウェイ高等弁務官の姿が思い出されて、重なり合わすような、そんな感じがしまして、私たちのこの七〇年間は何だったのかなというようなことを率直に思っております」

　このときの菅氏は何かきょとんとした表情でキャラウェイという名前を聞いていたように見えた。菅氏はキャラウェイ高等弁務官のことをどれだけ知っていたのだろう。奇しくも二人が会談したホテルは、そのキャラウェイ氏が五二年前に、「沖縄の自治は神話」と発言した金門クラブがあった場所に建った建物だった。

　その後、政府と沖縄県の協議は五回行われたが、結局決裂に至る。翁長氏は、その中での菅氏とのこんな会話を、著書で明かしている。

《なかでも私が強く求めたのは、沖縄が歩んできた苦難の歴史に対する理解でした。私は菅官房長官に「沖縄県民には『魂の飢餓感』があるんです」と語りました。（中略）しかし、いくら歴史を語っても、菅官房長官からは「私は戦後生まれなものですから、歴史を持ち出されたら困りますよ」「私自身は県内移設が決まった日米合意が原点です」という答えが返ってきました。（中略）私は官房長官に「お互い別々に戦後の時を生きてきたんですね。どうにも擦れ違いですね」と告げました。》（『戦う民意』）

　大田氏も私のインタビューで、歴史への向き合い方の重要さを、先に挙げた環境調査での自衛艦派遣を例にこう言っていた。

「将来は過去、現在の積み重ねの上にしかないから過去を学ばないで将来をよくは到底できない。天皇の軍隊によって犠牲を被った沖縄に平然と環境調査で自衛隊の艦船を派遣するということは明治の発想から抜けてない。そういう意味で過去を学ぶことは将来を作っていく問題に密接につながっている。それを抜きにして美しい日本は到底作れない」

それが象徴するように、実は本土側の沖縄への歴史の認識が、すっぽり抜け落ちているのではないか。それこそが、両者の関係をつくっている一つの原因ではないかと思うのだ。

## ❖「カメジロー」の生き方を通じて戦後史を伝える

なぜ沖縄が声を上げ続けるのか。歴史を見れば、いまがある理由が見えてくる。やはり歴史に答えがある。

辺野古のキャンプシュワブゲート前での市民の座り込みについても、SNS上で揶揄する発信がなされたこともあったが、なぜ座り込むのか。それは、実は歴史が証明する事実があるからだ。実際に座り込みによって土地接収を断念させた闘いがあった。具志川市（現・うるま市）昆布の土地闘争である。一九六六年、米軍が二万一千坪の農地接収を告げたことで、住民が座り込みを始めた。闘争の拠点となった小屋を放火されるなど、数々の妨害を受けながらも、抵抗は五年以上続き、ついに米軍は土地接収を断念したのである。

沖縄と本土の温度差、深い溝などと表現されて久しい。その背景には、沖縄の戦後史など歴史に対する本土側の認識の欠如があると、ずっと感じている。苛烈な沖縄戦が終わって、やっと平和がやってくると思ったら、やって来たのは二七年に及ぶ軍事占領だった。その占領の裏返しで、日本は平和憲法を手に入れた後、経済的復興を果たしていったことを考えれば、これはまるごと日本の戦後史なのである。その視点をもつことで、問題の見え方は随分変わってくるはずだ。

地続きの歴史の上に一つひとつの風景は生まれている。そう言いながら、私も報道する立場としては、どうしても目の前の瞬間、瞬間の出来事を切り取るということに追われて、全体像を本当にどこまで伝えられているだろうか？　そんな悩みを常に持ちながら、沖縄の報道に取り組んできたが、点ではなく、線で、あるいは面で、沖縄を伝えることはできないか……そこで、アプローチしたのが瀬長亀次郎であった。戦後沖縄を占領した米軍への抵抗の象徴で、いまも「カメジロー」と親しみを込めて呼ばれる人物を通して、戦後史を伝えることができれば、一方的な見方も変わるきっかけに、議論のきっかけになるかもしれない。カメジローに象徴される戦後史の一つひとつの点を、いまの沖縄まで線で結ぶことで、きっと見えてくるものがある。そう思った。

沖縄は、憲法も適用されない、人権も保障されない米占領下の二七年間の理不尽さ、不条理とどう闘い、乗り越えたのか。まず、五〇分のドキュメンタリー番組として日曜深夜に放送した。すると、翌朝から、これまで経験がないほどの反応が届いた。「こんな人物がいたのか」「いまも沖縄の人々が声を上げ続けている理由が分かった」「夜中にこそこそしないでもっといい時

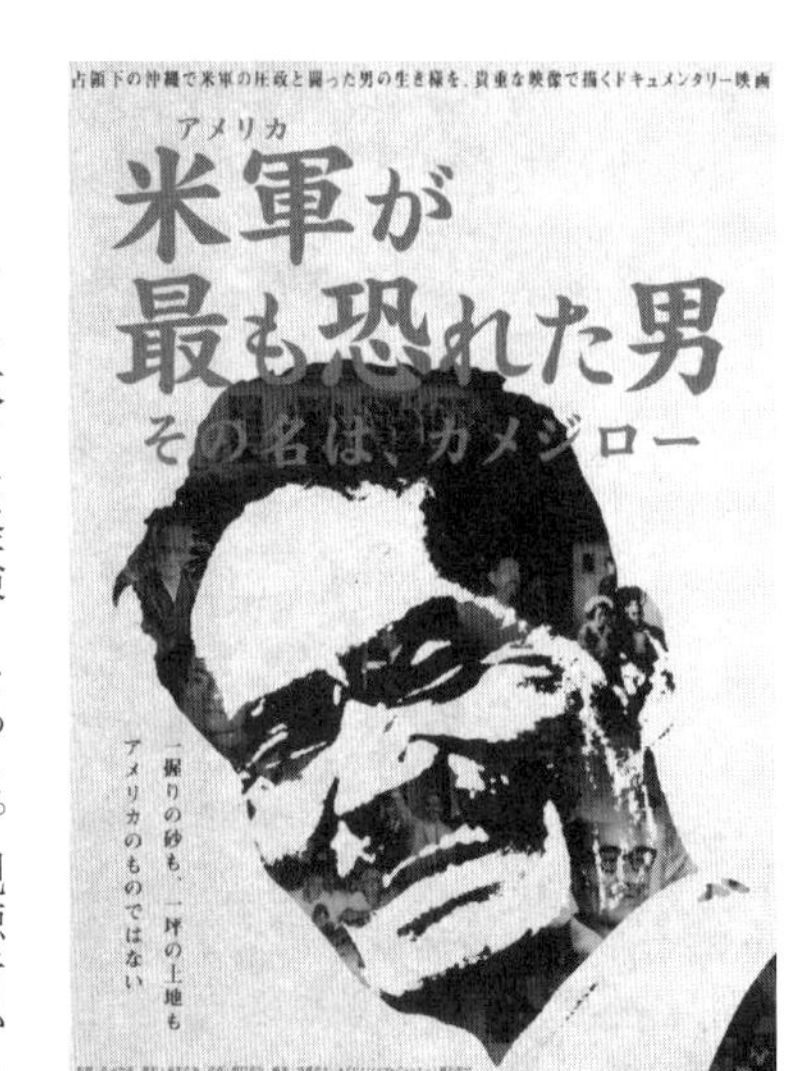


ドキュメンタリー映画「米軍（アメリカ）が最も恐れた男　その名は、カメジロー」のポスター（© TBS テレビ）

間に放送するべき」など、それは嬉しい感想だった。伝えたいことが伝わったのではないか……いただいた声を力にして、初めての映画化に結び付けていった。

そして、出来上がったのが、ドキュメンタリー映画「米軍が最も恐れた男　その名は、カメジロー」（二〇一七年八月公開）だった。深夜の地味な番組が、全国の劇場でご覧いただく映画作品に発展したのは、私たちにとっても大きな経験となった。視聴者からの指摘にあったような、別にこそこそしているつもりはないのだが、実は、この手の番組は、深夜の時間帯に生きている。たしかに見ている人の数は、いわゆるいい時間帯に比べれば圧倒的に少なくなる。でも、深夜だからこそ、あまり視聴率を気にせず、愚直なまでのド直球の作品を貫けるという利点もある。

夜中にひっそりと生きているドキュメンタリー番組でも、その後にこういう進路をたどることがある一つの例になった。また、かつて、テレビでは「沖縄をやると視聴率が下がる」と言われた時代があった。それでも、やり続けていた少数派が、私たち「NEWS23」であったが、その後も私はさらに少数派でいつづけた。だが、「カメジロー」の公開で劇場には本当に多くのお客様に来ていただいた。テレビでは制作した後、どのように視聴者にご覧いただいているのかわからないが、劇場では、目の前でじっと私たちの作品と向き合っている人々の姿が見える。とても新鮮な体験だったが、このドキュメンタリーを、この作品を求めてくれる姿をみると、視聴者が本当に求めているものは何なのか、をあらためて考えさせられる思いがした。

映画はテレビよりずっと古いメディアだが、そこに、とても新鮮な、新たな可能性を感じたものである。

## ❖アメリカの支配下で培われた沖縄の抵抗の精神

話を戻そう。いまに語り継がれるカメジローの演説の中に、こんなフレーズがある。

「この瀬長一人が叫んだならば、五〇メートル先まで聞こえます。ここに集まった人々が声をそろえて叫んだならば、全那覇市民にまで聞こえます。沖縄七〇万人民が声をそろえて叫んだならば、太平洋の荒波を越えてワシントン政府を動かすことができます」

現代の県民大会で翁長氏が団結を訴えたが、当時もカメジローが団結を訴えていた。それはおそらく、カメジローが、個の力を信じていたからではないだろうか。一つひとつの個が、大きな一つになったときの力の意味を信じていたからこそ、団結することの大事さを訴えたのではないか。その一つひとつの個の力が積み上げられて、復帰を勝ち取り、今日に至る沖縄は出来上がっていったと想像する。

沖縄近現代史や近現代の精神史を研究している琉球大学の比屋根照夫名誉教授への取材で、非常に印象的な言葉がある。

「沖縄の民主運動に一貫して流れているのは、やはり占領時代の不法や不義に対する抵抗の精神で、それがいまの日本政府の構造的差別への抵抗に結び付いている」「常に沖縄は過酷な現実を目の前にしているから、その時代の血脈や底流という、思想の流れというものは絶えることがない。そういった意味でも、戦後、沖縄の抵抗運動は継続している」

やはり、そういった厳しい時代が個を鍛えていったのだろう。しかし、いまもそれは継続している。いつまでその厳しい時代の中に沖縄を閉じ込めておくのか。少数の犠牲の上に多数があぐらをかいている時代を、いったいいつまで続ければ気が済むのか。それを考えるとき、やはりそのこと自体がこの国のありようを問うているような気がしてならないのである。

復帰まであと五か月という一九七一年一二月。カメジローは、沖縄返還の当事者である、時の首相・佐藤栄作と国会で対峙した。そこで、カメジローが訴えたのは、「核も基地もなくならなければ平和な島にはならない」「沖縄の大地は再び戦場となることを拒否する！　基地となることを拒否する！」

これに対し、佐藤首相はこう答えた。

「基地のない沖縄、と言われてもすぐにはできない。しかし、私どもは、そういう平和な豊かな沖縄県づくりに邁進しなければならない」

その言葉とその後の今に至る政治の姿の間にはあまりにも距離があると言わざるを得ない。

## ❖ふみにじられた沖縄―屋良朝苗氏と「幻の建議書」

占領下で初めて選挙によって選ばれ、琉球政府最後の主席から初代沖縄県知事となった屋良朝苗氏は、復帰そのものをどうとらえ、評価していたのか。屋良氏は、一九七一年一一月一七日、返還協定が審議されていた国会に、琉球政府が復帰後の沖縄のあるべき姿などをまとめた「復帰措置に関する建議書」を届けようと、これを携えて東京へ向かっていた。

建議書は、返還協定が審議されているこの国会の成り行きを、《沖縄百万県民が重大な関心をもって見守っている》とし、返還協定について、《基地を固定化するもので、県民の意志が十分に取り入れられていない、大半の県民は不満を表明している》と書いている。さらに、核兵器の撤去にも疑問を呈し、基地を、《県民の人権を侵害し、生活を破壊する悪の根源》と断じ、《県民の建議に謙虚に耳を傾け、不満、不安、疑惑、意見、要求を十分にくみ取ってもらいたい》と要請している。そして、具体的に、《地方自治権の確立、反戦平和の理念を貫く、基本的人権の確立、県民本位の経済開発などを骨組みとする、あるべき沖縄の姿を求めた新生沖縄像》が描かれた。屋良氏も直接、筆を入れたとされ、琉球政府のチームが県民各層の声をまとめた五万五千字に及んだ建議書。

ここには、こんな表現もあった。

《従来の沖縄は余りにも国家権力や基地権力の犠牲となり手段となって利用され過ぎてきました。復帰という歴史の一大転換期にあたって、このような地位からも沖縄は脱却していかなければなりません。したがって政府におかれても、国会におかれてもそのような次元から沖縄問題をとらえて、返還協定や関連諸法案を慎重に検討していただくよう要請するものであります》

まさに、「日本にとって沖縄とは何か」の問いがここにも投げかけられていた。だが、屋良氏を乗せた飛行機が羽田空港に着陸する直前、国会では自民党議員が審議打ち切りの動議を出し、沖縄返還協定は強行採決されてしまう。沖縄の声が審議の場に届くことはなかった。肝心の国会がこれを封じ、幻の建議書にしてしまったのだ

屋良氏は、着陸後の羽田でこれを聞き、「唖然(あぜん)とした」と語った。

屋良朝苗氏は「復帰」の現実に苦悩した（撮影：山城博明）

「全く唖然としている。言葉も出なかった。やるにしても、その過程はみんなが納得する形でやるべきだった」

そして、この日のことを屋良氏は日記にこう記している。

《党利党略の為には沖縄県民の気持ちというのは弊履(へいり)のようにふみにじられるものだ。沖縄問題を考える彼らの態度、行動、象徴であるやり方だ》（「屋

良朝苗日誌」一九七一年一一月一七日）

屋良氏の側近で、秘書も務めた、石川元平氏にこう語ったという。

「復帰への悔恨」――即時全面返還を願っていながら、基地がそのまま残ることになった復帰を、屋良氏は悔いていた。「県民が願った復帰にはならなかった」というのである。

そして、石川氏にこう続けた。「その復帰の中身は、君たちが勝ち取ってくれ」

後世に託した宿題といえた。

屋良氏は著書の中で、復帰というものの意味をこう表現している。

《軍事占領支配からの脱却、憲法で保障される日本国民としての諸権利の回復、そして沖縄県民としての自主主体性の確立、これらが私たち県民にとって、全面復帰のもっている内容です。もっと簡単明瞭にいいますと、〝人間性の回復〟を願望しているのです。きわめて当然な願望であり要求です》（『沖縄はだまっていられない』エール出版社一九六九年）

それから五〇年。屋良氏が後世に託した宿題と、沖縄が願った人間性の回復の結果を思う。果たしてどれほど回復されたのか。私たちの国は、胸を張って、その問いに答えられるだろうか。

## ❖講和条約と安保条約が沖縄に押し付けた矛盾

戦後、日本の主権回復が決まるサンフランシスコ講和条約と同じ日に締結されたのが日米安保条約だ。一九五一年九月八日のことである。条約は翌年の四月二八日に発効、日本は主権を回復し、沖縄は切り離され、アメリカの施政権下に組み入れられた。安保条約も同時に発効した。そして、沖縄は、この二つの条約が生む「矛盾」が最も押し付けられたままになっている場所だ。独立国に外国の軍隊が駐留し続けるという矛盾である。

「戦後レジームからの脱却」。安倍元首相が、とくに第一次政権時に主張していた言葉である。安倍氏によれば、戦後レジームとは、戦後の「憲法を頂点とした、行政システム、教育、経済、雇用、国と地方の関係、外交・安全保障などの基本的枠組み」（「衆議院議員本村賢太郎君提出総理の言う「戦後レジーム」の意味に関する質問に対する答弁書」より）を意味するというが、沖縄には脱却どころか、むしろ一番古いレジームを押し付けたままにしているのではないか。

そして特に沖縄に横たわり続けている問題がある。安保条約に付随している地位協定をめぐる問題だ。

一九五一年に締結された旧日米安保条約では、日米行政協定と呼ばれていたが、一九六〇年に安保条約が改定されると、行政協定は日米地位協定に改められた。基本的に在日米軍の地位や特別な権利が保障されるものだ。

米軍人・軍属による事件事故が起きると、まず問題になるのが被疑者の身柄の引き渡しについてだ。例えば、被疑者が米軍基地内に逃げ込めば、日本の警察が、逮捕状をもとに被疑者の身柄の引き渡しを求めても、米軍は起訴されるまで引き渡さないことが、地位協定によって認められている。一九九五年九月の少女暴行事件でも、米軍はこの地位協定をたてに、米兵らの身柄の引き渡し要求を拒否した。この事態は、当然のように地位協定の改定を求める強い声に結び付いていった。大田知事は、上京し、河野洋平外相に直截に改定を要求した。しかし、河野氏の答えはこうだった。

「議論が走りすぎている」

大田氏は、自民党内のハト派で知られる河野氏が外相に就任したことに期待を寄せていただけに、失望したとのちに述べている。

そして日米外相会談で、両政府は地位協定の運用改善で合意したが、それは改定はしないことの合意でもあった。それもその運用改善とは、殺人や放火、性的暴行など重大な犯罪に関しては、起訴前の身柄の引き渡しなどで米側が「好意的考慮」を払う、というものであった。加害者側の好意で身柄は引き渡されるというのである。

## ❖一九歳の青年の死—父が愕然とした地位協定の理不尽

地位協定には、個人の生活に影響を与える面でも多くの不平等、理不尽がある。私が「NEWS23」で初めて沖縄に関して制作した特集は、まさにこの取材だった。それは、少女暴行事件後の様々な議論が行われている最中の出来事だった。一九九六年二月、米海兵隊員との交通事故で一九歳の青年が亡くなった。青年の名は、海老原鉄平さん。兵庫県出身の鉄平さんは、沖縄の彫刻家・金城実さんの弟子になりたいという夢を持ち、沖縄での大学進学を目指して、浪人生活を送っていた。息子の死で父親の大祐さんが直面したのは、補償面も含めた地位協定の壁だった。

事故の一報を聞き、飛んだ那覇空港から病院に向かう車中で、米軍の通訳を兼ねた法律顧問からいきなりこう言われたという。

「補償金については日米地位協定に基づき、私たちが責任をもってお支払いします。弁護士は立てない方がいいですよ、お金がかかりますからね」

まだ鉄平さんとの対面も果たしていない家族への発言だった。大祐さんは、《相手が米軍人と知りショックを受ける。弁護士を立てないでほしいといわれた。これが沖縄の現実か？　ナメられてたまるか》と、日記に心情を吐露した。

その日記には、事故後の合格発表に鉄平さんの名前があったことを知らされたことも書かれていた。大祐さんは、「むなしさと悲しさで、あいつ（鉄平さん）のアパートの一室で壁を蹴って暴れましたよ」と、後に語ってくれた。

被害補償については、地位協定18条5項、6項に定められているが、公務中と公務外で分けられている。公務中の事件事故は、国による補償があるが、公務外になると、米軍は関与しないとされる。

鉄平さんの事故の現場はキャンプフォスター第一ゲートの前だったが、相手の米兵は公務外だった。それが理由からか、加害米兵や米軍からの告別式参列や弔電は一切なかったという。さらに、補償については、当事者間の話となり、個人補償になるが、個人には限界がある。見舞金の制度があり、防衛省が査定をするが、支払いの可否を決めるのも、その額を最終的に決めるのも加害者側の米軍である。それもあくまで、米軍の「好意」によって支払われるものとされている。これも加害者側の好意なのだ。

昔は多くが泣き寝入りだったというが、徐々に民事裁判に訴える動きが出てくるようになった。しかし、往々にしてその判決額と見舞金の間には大きなギャップがある。実際、海老原さんの場合も、米軍が決めた見舞金額は、判決額の一五％に過ぎなかった。その差額は、日本の税金で埋められる。当初、米兵は、過失を認め謝罪していたが、刑事裁判が始まると態度を一変させ、「私は悪くない」と主張した。刑事裁判が終わると帰国してしまい、その後一切連絡が取れなくなったという。

海老原さんは、こう語る。「子どもが死んで初めてわかった。これだけ理不尽なものか。よく出る抑止力だけでの問題ではなくて、まずは生活者の視点は大事でしょ、と言いたい」

そんな理不尽さや不条理がずっと続いている中で、安保条約や地位協定に言及すると、どうしてもイデオロギーの話になりがちだが、沖縄の人々にとっては、イデオロギーではなく、海老原さんの言うように、生活の問題なのである。近年では、新型コロナをめぐっても、地位協定の大きな問題点があらわになった。

沖縄以外の地域では、あまり意識されないかもしれないが、例えば首都・東京の空も管制権の一部は米軍にある。環境汚染が起きても、基地内で立ち入り調査をする権限もない。一方で、ドイツやイタリアには事前通告の必要や制約はなく、その権限が認められている。ヘリが民間地に墜落炎上しても、現場には、あっという間に規制線ができ、日本の警察も消防も入ることが出来ない。

主権とは、いったい何かを考えさせられる。

## ❖基地撤去の闘いは民主独立の闘い

実は瀬長亀次郎もこんなことを日記に書いている。

《米軍の撤退、基地撤去のたたかいが、単なる平和闘争ではなく、基本的に民主独立のたたかいであることは、この水の問題でもはっきりするというものだ》(「瀬長亀次郎日記」一九六四年二月四日)

水の問題というのは、一九六四年二月に起きた断水のことだ。

《朝から水が出ない》と始まるこの日の日記だが、米軍は飲料水に事欠かない、と知って、カメジローは、こう締めくくる。《主権が奪われている人民の惨めさがよく分かるではないか、このボクも含めて》

四月にもまた断水で市民は苦しんだ。カメジローは米軍への批判を強める。

《軍は断水どころか節水もしていない。使い放題である》（「瀬長亀次郎日記」一九六四年四月八日）

《日照りを利用して水攻めをやる、その非人間性、侵略性、収奪性》（「瀬長亀次郎日記」一九六四年四月九日）

ここからも、基地をめぐる沖縄の闘いというのは、イデオロギーの問題ではなく生活に密着した問題ということが、歴史的に分かってくる気がする。だからこそ早く権利を勝ち取って、日本に帰るんだ、主権を取り戻すんだと目指したのが祖国復帰だった。

では帰った先の祖国はどうだったのかという話になるわけだが、一つ、祖国についてカメジローが書いた言葉を紹介する。カメジローは、色紙に一筆求められると、好んで書いたのが「独立」という言葉だった。

すると、よくあったのが「カメジローさんも沖縄独立派なんですか」という問いだった。しかし、カメジローにとっての「独立」の意味は、そうではなかった。「沖縄は占領されているけども、この国も、つまりこの日本も本当に独立できているのか」――これがカメジローが問い掛けの意味で記した「独立」という言葉だった。

その問い掛けは、いまにも通じるところがあるのではないか。戦後七七年、沖縄の日本復帰五〇年、いまにしてなお、主権国家としての振る舞いが実は問われているのではないか。そんな日本の姿が見えてくる復帰五〇年ではないだろうか。

## ❖映画「生きろ　島田叡（あきら）―戦中最後の沖縄県知事」

二〇一七年八月に「米軍（アメリカ）が最も恐れた男　その名は、カメジロー」を公開したあと、人間・カメジローにもっと迫れないか、そんな声もいただき、ほどなくして続編に取り掛かった。カメジローは二三〇冊を超える日記を残しているが、あらためて、その日記を一からすべて読み直すことから続編の制作は始まった。そこに記されている政治家として、夫として、父として、さまざまな顔からカメジローの生涯を描いたのが、二〇一九年八月に公開した「米軍（アメリカ）が最も恐れた男　カメジロー不屈の生涯」だった。一作目同様、まるで六〇年前の演説会に集まるように劇場に足を運んでくださった人々の姿は、カメジローの政治的立場を超えた、抵抗のシンボルとしての存在を感じさせた。

それからさらに二年後の二〇二一年三月。コロナ禍の中での公開となった作品が、「生きろ　島田叡―戦中最後の沖縄県知事」である。そこが戦場になることが明らかなため、誰もが尻込みする中、「俺は死にとうないから誰かが行って死んでくれとはよう言わん」と周囲の反対を押し切り、知事として沖縄に赴任した島田叡を通して沖縄戦を描いた。カメジローと違い、島田には様々な評価があり、非常に難しい作品だった。玉砕主義の時代に、沖縄戦での日本軍のありように異論を唱え、周囲に軍と行動を共にするな、死ぬな、生きろ、というメッセージを送っていたと語り継がれている一方で、人柄は評価するが、大日本帝国の中枢であった内務省の官僚で、戦争を遂行する立場にあり、日本軍と一体であった人物だ、という批判の声がある。

私も、島田がそういう戦時の県知事としての役割を負わされ、職務を遂行する立場であり、やらざるを得なかったことがあったことは否定しない。そのうちの一つが、学生を戦場に駆り出すことになる軍との覚書に署名していたとみられることだろう。「彼らは戦闘要員ではない、食糧増産のために働くのだ、と言っていた」という証言もあるが、結果として学徒は戦闘の最前線に立たされた。そこに手を貸すことになったり、沖縄県民の多大な犠牲を目の当たりにしたりしたことで、島田は苦悩した。それを表す証言も数多い。その末に、周囲に前述の言葉を残し消息を絶つ。

もちろん、国に最も忠実さを求められる官吏として、やらざるを得ないことがたくさんあったと思う。だが、私は、その国側の人間が、最後の最後に人として、個として何をしたか、そこに至る過程にあったであろう深い苦悩や葛藤も併せて、人間のありように着目したかった。決して英雄として描くのではなく、強さ、弱さを含め「人間」らしさを描いたつもりだ。

批判の中身はさまざまだった。人柄がいいのはわかるが、戦争責任は重大、そういう立場の人間を英雄視している、取り上げること自体が許せない、生きろと言ったのは周囲に対してだけで、知事として県民全体に公言したわけではない……など。現代の価値観からみた指摘が多い気もしたが、歴史は視点によって見え方が大きく変わることをあらためて考えた。

## ❖大田昌秀氏の島田叡氏評─共に沖縄県知事として

映画では、島田や沖縄戦体験について、二二人の方の証言を紹介した。そのうちの一人が、島田が交わしたとみられる軍との覚書によって鉄血勤皇隊として戦場に駆り出された大田元知事だ。当事者として、島田をどう見ているか、ぜひ聞きたかった。大田氏は開口一番こう語った。

「行政官として尊敬すべき本物の人物です」さらに、「私にとっては島田知事は単なる他人の知事のような気がしない」「いま島田知事が生きておられたら、どういう行政をされたんだろうか、どう政府に対応されたんだろうかということを考えざるを得ない状況だ。わずか五か月の県政を担当されたが、たった五か月間で残された実績は、私にとっては非常に大事なものだ」

厳然とある島田批判についても聞いてみた。

「軍の要請は命令なんですよ。それを拒否するのは、そもそも知事としての職務を果たせない、軍隊は県民も一緒に玉砕すると公然と言われていた中で、何とか住民の命を守ろうとしていたわけですから、その辺を単純に軍隊と一体化して生徒を動員したなんて、当時の実情を知らない人が言うことであって、知っていたらとてもそんなことは言えませんよ。それははっきり申し上げることができます。当時の状況がどういう状態にあったかを客観的な情勢の中で個々人の動きを見ていかないと誤解を生みかねない」

大田氏は、動員された少年兵としてではなく、県知事として島田を見ていた。県と軍の関係で苦しんだであろう島田を、同じ県知事の立場で政府と向き合い苦悩した自らの姿を重ねていた。

「沖縄の人々の気持ちの中には全く消すことのできない問題として沖縄戦の体験がある。どうして痛みを共有できないかということが問われていて、それだけに島田さんの時代についてもういっぺん振り返って検証する必要がある。厳しい状況下で島田知事にできることとできないことがあったわけだが、できないことはどういうことだったか、なぜできなかったのか、を厳密に検証しなおして、今後に生かしていけば島田さんも報われるんではないかと思う」

そこには、今日的テーマが多く含まれていると考えている。島田は、戦時の県知事として軍に協力する義務と住民の命を救う使命との間で、いわば二律背反に陥った。多くの証言から苦悩や葛藤が見えてきたが、おそらくできないことばかりだったであろう中で、その末に人間の命、尊厳に向き合った。この上ない全体主義で、一方的に個が追いやられる時代に、最後は、その個に立脚していた。

一方、32軍の牛島満司令官は、一日でも本土決戦を遅らせるため時間稼ぎをする南部撤退を決断した。島田は、再三にわたって、首里にとどまるよう牛島に迫っていた。住民が多く避難する南部に軍が撤退すれば、戦場は軍隊と住民が混在し、確実に住民の犠牲が増える。県庁機能を置いた壕の中で島田が警察部長と、軍に何とか思いとどまらせたいと話していたという証言もある。

だが牛島は、首里放棄、南部撤退を決断。住民犠牲は、南部撤退以降急増し、九万人を超える住民犠牲者のうち、南部撤退の巻き添えになったのは半数を超える。島田が最も恐れた事態だった。孫の牛島貞満氏は、祖父の決断の意味を追い続けて、頻繁に沖縄を訪れてきた。そこで、祖父は優しい人だった、という証言に数多く出会ったという。では、そういわれる祖父がなぜ住民に多大な犠牲を強いることになる南部撤退を決断したのか。そこに強い疑問を持った。私も同じことを聞いたことがあった。牛島司令官について、大田元知事も元ひめゆり学徒の宮城喜久子さんも、「学生さん、ご苦労さん」と優しい言葉をかけてくれたと語っていた。貞満氏は、祖父の決断の背景をこう考えている。

「天皇に対する忠誠心ではないかなと思う。大本営宛の決別電報から読み取ると、本土決戦が必ずあると信じていた。そのためには南部に撤退して戦い続ける軍としての姿勢を示すことが、天皇への忠誠心ということに結び付いていく。自分が優しく気をかけた人たちを巻き込む葛藤はあったと思うが、忠誠心を優先したと思う」

まさに日本軍は天皇の軍隊だった。その上で貞満氏は続けた。

「そうであっても、司令官としては戦争をどう終わらせるか、いかに住民を巻き添えにさせないかの判断はあってしかるべきだった」

そして、祖父が率いた沖縄戦の意味をこう結論した。

「そもそも沖縄を守るつもりはなかった。沖縄守備隊は本土守備隊だった。本土決戦のための時間稼ぎの作戦であったことは間違いない」

沖縄戦で生まれたのが「軍隊は住民を守らない」という教訓だ。貞満氏は強調する。

「武器は、武力は住民を守らない、ということにつながっていく。武器や武力ではなく、いかに意見や利害が対立する国々と平和を結ぶかが沖縄戦から見えてくる。いま私たちが学ぶべき点ではないか」

戦時のリーダーたちが、どちらを向いて、何を根拠に判断していったのか。それは、現代のリーダー論にも通じるのではないだろうか。それとともに組織の中ではどうあるべきなのか、組織と個の関係も見えてくる。

大田氏の言葉にあるように、当時の検証をすることで、私たちの国の何が変わり、何が変わっていないのか、沖縄を捨て石にした価値観は本当になくなったといえるのか、地続きの歴史の上に私たちの国のありようを問い返すべきテーマがあり続けている。なぜ、様々な視点で、沖縄戦を問い続けるのか。それは、その後の不条理の原点であり、決して沖縄戦が昔話ではないからである。そこに尽きる。

## ❖「沖縄に対する差別の根源を絶て」

島田は何ができなかったのか、それはなぜできなかったのか……、長い時を超えて、同じ立場に立った大田氏は、リーダーとして苦悩の末にどう行動したのか。大田氏は、少女暴行事件が起きた一九九五年九月、民有地を米軍基地として継続使用するための代理署名を拒否することを県議会で表明した。それは、政府に大きな衝撃を与えるものだったが、拒否の理由が、少女暴行事件にあるととらえる向きが多かった。

だが、最も大きなきっかけは、同じ九五年二月に出た米国防総省のジョセフ・ナイ国防次官補による「東アジア戦略報告」だった。そこには、米軍が東アジアに一〇万人体制を維持するとあり、それでは沖縄の基地機能は固定化し恒久化されるという危惧を抱いたことで、拒否の決断に至ったという。

そう決心した場所は、沖縄戦終焉の地・摩文仁だった。思い悩むことがあると、いつもこの地を訪れ、犠牲になった学友の顔を思い浮かべた。そこで自らに問うのだという。亡くなる一年前、大田氏が私をその場所に案内してくれた。「沖縄師範健児之塔」だ。学友たちの名が刻まれている。ここが、自分はなぜ生かされたかを考える場所でもあり、一番大切な原点の場所であるという。そこで心を決めたのが、代理署名の拒否だった。自らの原点で初心に帰ったのだった。

それは、単に米軍基地のありようへのアンチテーゼのみならず、国に対する地方としての主張であり、沖縄の抵抗の体現であった。闘う知事の姿勢は、後の翁長知事やいまの玉城知事、また何より民意に影響を与えていったと言っても過言ではないのではないか。それはそのまま、この国にとって沖縄とは何か、の問いかけでもあろう。

その根底にある沖縄の思いを、大田氏が珍しく感情をあらわにした一九九五年一一月の会見の言葉に見ておきたい。

「安保が大事とおっしゃるなら自ら何で責任を負おうとしないのか、国を守ることが必要といいながら自らその責任を果たそうとしない。自分は引き受けないでよそにおっかぶせて、それで平気でおれる安保体制はない。安保は自分から守ることでしょ。自分は軍隊を置くのはいやだと言ってよそにおっかぶせるその感覚、発想は通らない。なぜ沖縄だけ我慢しろと言うのか、説明したことがあるか？　どなたもない、説明がつかない。どんな偉い人が説明したところで、納得しない、沖縄の住民は。沖縄を何と見てるんですかね？　沖縄は何ですか、沖縄は日本ですか？」

大田氏は、二〇一七年六月一二日、九二歳の誕生日にこの世を去った。大田氏のもとに残された膨大な資料や書籍は、沖縄県公文書館や沖縄県立平和祈念資料館、故郷の久米島町立図書館などに寄贈されたが、六六の自筆原稿が沖縄県立博物館・美術館に所蔵されている。その中に、病床に伏す直前、おそらく最後に執筆したと思われる原稿がある。

タイトルは「沖縄に対する差別の根源を絶て」――大田氏が残した最後のメッセージだ。

私たちは、どんな言葉で沖縄を語り、伝えるべきなのだろうか。ウチナーンチュでない、本土の人間が、沖縄を語ることの限界もあると正直思う。しかし、前述した、沖縄がこれほどこの国の矛盾を長く抱えさせられていることが、本来あるべき姿ではないことは確かだ。独立国に外国の軍隊がこれだけ長く偏って存在することは、どうみても普通のかたちではない。そして、そのかたちを支えるのが、実はこの国の民主主義なのである。

だからこそ、沖縄を語り、伝えることは、民主主義のありよう、私たちの国のありようを問うことだといえる。占領下をようやく脱した沖縄が、祖国へ復帰したあとに直面したままの実像は、日本人すべてが目を凝らし考え続けるべきテーマだ。

「少数派」でも、それを愚直にしつこく問う伝え手でありたいと思う。

第4章

# 問われる「沖縄リテラシー」

鎌倉 英也

**【かまくら・ひでや】** 1962年長野県生まれ。ＮＨＫ第２制作センター（文化）チーフ・プロデューサー、エクゼクティブ・ディレクター。「NHKスペシャル」「ETV特集」「こころの時代」などのドキュメンタリー番組を制作。主な番組作品は「チュウ・ムンサンの遺書 朝鮮人ＢＣ級戦犯裁判」（1991）「アウシュヴィッツ証言者はなぜ自殺したか」（2003）「日中戦争」（2006）「オキナワとグアム」（2014）「武器ではなく一冊の本を」（2019）など。共著に『クロスロード・オキナワ』（NHK出版2013）『アレクシエーヴィチとの対話』（岩波書店2021）など

沖縄が「復帰」五〇年を迎えた今、私が自戒の念とともに抱くのは、日本の「本土」と呼ばれている地域に、私的な造語だが「沖縄リテラシー（理解力）」が決定的に欠けているのではないかという思いである。

「沖縄リテラシー」とは、直接的には、虚実入り乱れる情報に振り回されることなく沖縄についての適切な知識を持つことを意味するが、私は加えて、沖縄が琉球の時代から現代に至るまでどのように歩んで来たか、その過程でどんな共同体としての思想を培ってきたか、それが私たち「本土」とどのような関係のなかで生まれてきたか、それによっていかなる条件を担わされてきたのか――そのような歴史的文脈をたどることによって、積極的に沖縄を知ろうとする姿勢であると考えたい。その蓄積を経てはじめて、現在なお進行している様々な問題について繰り返し発せられる沖縄の人々の主張や願いが何に根差しているか、誠実に触れ得るのではないだろうか。

実は、この思いは、私が三〇年余に及ぶ沖縄取材を始めた時、私自身の「沖縄リテラシー」の欠如について痛感した経験から生まれてきたものだ。

## ❖私の「沖縄リテラシー」のはじまり

NHKに入局し名古屋に赴任した私は、一九八八年、「中学生日記」という番組を担当するディレクターとなった。その時から、ドラマで演出されるこの番組をいつかドキュメンタリーで作りたいと考え、その日も何かヒントはないかと全国から届く視聴者の手紙を繰っていたのだが、栽（さい）志織という沖縄の中学生から寄せられた一通の作文に目が止まった。

「お父さんは高校野球の監督をしています。今年の夏も甲子園に出るためにがんばって練習しています。お父さんにとって、甲子園で本土の高校と試合することには特別な意味があると思います」。

志織さんの父は、当時、高校野球の強豪としてその名を全国に知られた沖縄水産高校の栽弘義監督だった。「沖縄か。いいなぁ、一度行ってみたかったところだなぁ」。そんなことをぼんやり思いながら、私は志織さんのきれいな筆跡を追っていたのだが、その終わりの方に書かれていた文章に目が釘付けになった。

「お父さんの背中には、幼い子どもだった頃、沖縄戦で負った刀傷があります」。

後に沖縄にロケで入り、栽監督ご本人へのインタビューで知ったことだが、その刀傷はガマ（自然洞窟）の中で「自決」を強いられたときに付けられた傷だった。志織さんは、そのような体験を父親から聞き、また、中学校の校外学習で様々な沖縄本島南部のガマに入り、そこで起きた壮絶な出来事を学んでいたのである。

私も、沖縄戦が多くの民間人が犠牲になった過酷な地上戦だったことは、おぼろげながら知っているつもりだった。しかし、野球部の監督室でのインタビューや、野球部員の生徒たちの合宿所を兼ねていた自宅で秘蔵の古酒（クース）をふるまっていただきながら聞いた栽監督の話は、それまでの学校教育では触れ得なかったことばかりだった。

教科書の沖縄戦についての記述は、広島や長崎、東京大空襲などと並ぶ日本の戦禍のひとつとして数行で終わっており、当時の私は、沖縄戦で日本軍の敗残兵が避難していた住民を盾にしたり、自決を強要したりしていたことは知らなかった。その後、沖縄の歴史を学ぶにつれ、戦後、マッカーサーが沖縄を軍事要塞化することによって日本の平和憲法を変える必要がないと本国に上申していたことも、昭和天皇がソビエトや中国など共産勢力の日本への影響を排除するために「アメリカによる沖縄の軍事占領は、日本に主権を残存させた形で、長期の貸与をするというフィクションの上になされるべき」と考えていたことを伝える文書があることも知った。

これらの歴史的事実に無知であった入局したばかりの私が、栽志織さんのドキュメンタリー番組を手掛けたことは誠に無謀な試みではあったが、このとき感じた深い「恥」ともいえる思いが、今に至る私自身の「沖縄リテラシー」の原点ともなったのである。

以降、私は折に触れて沖縄を取材するようになった。

ドキュメンタリーの制作現場で、疑問を抱かざるを得ない現在の日本の政治的社会的問題が起こるたびに、沖縄にしっかり目を向けることで、その「根」が明らかになるのではないかという思いも深まった。

一九九六年、前年に起きた米兵による少女暴行事件の取材で入った時は、橋本首相がモンデール米駐日大使とともに行った普天間飛行場返還の記者会見を那覇で追い、辺野古や高江(たかえ)、与那国といった場所にも足しげく通うことになった。バラク・オバマ米大統領が太平洋に展開する米軍の再編成を表明した二〇一一年以後は、アメリカの軍事戦略にとってのオキナワとグアムを取材し、中国大陸沖合の金門島にも足をのばした。琉球と沖縄の歴史については、とりわけ大田昌秀さんや新崎盛暉さんから頻繁に、厳しくも温かいご教示を受けた。

本稿では改めて折々の取材メモをひもとき、現場で出会った資料や数多くの方々の言葉の断片をたどることで、未来の「沖縄リテラシー」のために少しでも資することができればと思う。

## ❖五つの「琉球処分」

「沖縄リテラシー」を考える上で、私に重要な示唆と導線を与えてくださった方がいる。那覇市の個人タクシードライバーだった宮平真吉さん。彼は私にとって、沖縄での取材撮影の際、欠くことができないクルーの一人だった。多くのＮＨＫのドキュメンタリー番組ロケは通常、ディレクター、カメラマン、音声照明の三人でクルーを組むが、その際、クルーの「足」となり「眼」となるのが、ロケ車ドライバーだ。宮平さんはＮＨＫ沖縄放送局が契約を結ぶドライバーでもあり、私が沖縄で取材するときはいつもお願いし、愛車ヴォクシーを駆って機動力を発揮してくださった。子どもの頃、学校で胸に「方言札」をぶらさげられた体験を笑いながらよく話してくれたものである。沖縄ロケを行うたびに、宮平さんは助手席に座る私に、たびたび次のような言葉を語った。

僕らは「琉球処分」は何度もあったと思ってるんです。一番目は言うまでもなく、明治時代に大日本帝国が琉球王国を組み入れた時、二番目は本土防衛の防波堤として戦場になった沖縄戦の時、三番目は戦後日本が平和憲法の下で国家再建に乗り出した一方で沖縄が米軍統治下に入った時、そして四番目が米軍基地が存続した「本土復帰」の時。これはまだ続いていて、今が第五の「琉球処分」の時代だと。

---

宮平さんのこの言葉は、私自身の「沖縄リテラシー」において、今も羅針盤になり続けている。「琉球処分」は、歴史用語としては、一八七〇年代の大日本帝国による琉球王国の廃止と沖縄県の創設を指し、そこがピンポイント的に琉球処分だとされているが、宮平さんによればその本質は決して過去の一過性のものではなく、その後も、沖縄戦、戦後の施政権停止と米軍統治、サンフランシスコ講和条約と同日に締結された日米安保条約、そして沖縄の「復帰」から現在にいたる米軍基地の存続や沖縄県の民意とは裏腹の日本政府の政治的決定として、途絶えることなく続いていると言う。その時期を以下、簡略に示そう。

Ⅰ．一八七二年〜七九年　大日本帝国による琉球王国の解体と琉球藩創設から沖縄県創設
Ⅱ．一九四五年三月〜六月　アジア太平洋戦争末期における沖縄戦
Ⅲ．一九四六年一月〜一九七二年五月　日本施政権停止による米軍統治・日米安全保障条約による沖縄の米軍駐留の固定化

### Ⅳ．一九七二年五月　沖縄の「本土復帰」と米軍駐留の継続化
### Ⅴ．以降から現在まで　米軍基地存続とオスプレイ配備・辺野古新基地建設の進行

このように書いてきて私が引っかかるのは、「本土復帰」という言葉である。これは、中央集権的な臭いがして、本来ならば使いたくない括弧付きの言葉なのだ。

琉球処分以降の歴史を見てくると、「本土」という言葉の裏には、「本土」を自称する人々の、沖縄という地域を国境沿いの「辺境」とみなし、散々利用してきた、過去からの延長線上にある意識がどうしても見え隠れする。また、「復帰」という言葉も、琉球王国時代からの歴史を考えると、日本という国家が沖縄の本当に帰るべき場所なのか、大きな問題が残されているようにも思えるのである。

琉球沖縄には、日本の一部になる以前にはるかに長い歴史がある。ぼんやり考えていると、明治期の琉球処分以降の期間が当たり前のように見えるのだが、そうではない時代こそ長かった。そこに、実は地政学的にも文化的にも、沖縄の礎（いしずえ）を培ってきた本質が潜んでいるような気がするのである。

以降、宮平さんの指標にしたがって、五期の「琉球処分」とは何であったか、取材で出会った様々な言葉を掲げてみようと思う。

## ❖ナポレオンが驚愕した「非武の島」

まずは、琉球王国の時代、「琉球処分Ⅰ」以前に現れる思想を見たい。最初は、首里城正殿の鐘に刻まれた一五世紀の尚泰久王の言葉である。

琉球国者南海勝地 而鍾三韓之秀 以大明為輔車 以日域為唇歯
在此二中間湧出之蓬莱島也 以舟楫為万国之津梁 異産至宝充満
――琉球は南海の恵まれた地にあり、朝鮮の優れた文化を集め、中国とは頬骨と歯茎のように重要な関係にあり、日本とは唇と歯のように密接な関係にある。琉球は、このふたつの国の中間にある理想の島である。船を通わせ、あらゆる国の懸け橋となり、国内には各国の産物や宝が満ち溢れている。

琉球という島国の誇りと思想を余すことなく伝えている言葉だ。中国や日本と極めて密接な関係にある地理的、文化的かつ経済的なハブとしてのアイデンティティが前面に打ち出されている。これは現在でも変わらない。私たちは、世界地図を広げてみたとき、東京を中心とする同心円を描くと沖縄県は国境地帯にある小さな島のように見えるけれども、那覇を真ん中に置いてみると中国や東南アジアが間近に迫り、日本の本州や四国、九州などは朝鮮半島、台湾や中国大陸の福建省あたりとほぼ同じ距離感覚になる。一六〇もの島嶼(とうしょ)からなる沖縄県の範囲は、沖縄本島から弧を描いて連なる最西端の与那国島まで、およそ六〇〇キロメートルにも及び、その長さは東京から広島県までを結んだ直線距離に匹敵するほどであって、これを上回る県はほかにない。海洋国家としての日本の中で、実に広い領域を占めていることがわかる。同じ「日本」であっても、どこから見るかによって、国家としての立ち位置の印象はまったく違って見えるのである。

この銘文には、「万国之津梁(しんりょう)」というキーワードがある。私たちはアジアの国々を結ぶ懸け橋になり、共に栄えるのだというメッセージである。後述するが、この精神は、国境の島である与那国が二〇〇五年に発表した『与那国・自立へのビジョン　自立・自治・共生～アジアと結ぶ国境の島ＹＯＮＡＧＵＮＩ～』にも脈々と受け継がれており、決して過去のものではない。

象徴的なのは、この琉球王国時代の言葉が今もなお、沖縄県庁の知事応接室に一隻四曲(いっせきよんきょく)の屏風(びょうぶ)として掲げられていることである。この部屋は、日本政府から首相や防衛大臣などが訪れた時、会談で使われる部屋だ。私には、今もなお沖縄県知事がこの言葉を背負って「本土」と向き合っているように見える。

この「万国之津梁」という理念は、争いや諍(いさか)いから達成することはできない。

そうした琉球の姿勢が伺えるのは、一八二六年にロンドンで発行された一冊の航海記である。イギリスの軍艦二隻を率いて中国大陸から朝鮮半島を経由して琉球にやって来た艦長バジル・ホールによる航海記で、彼は本国への帰路、アフリカ沿岸の孤島セントヘレナに立ち寄り、流刑

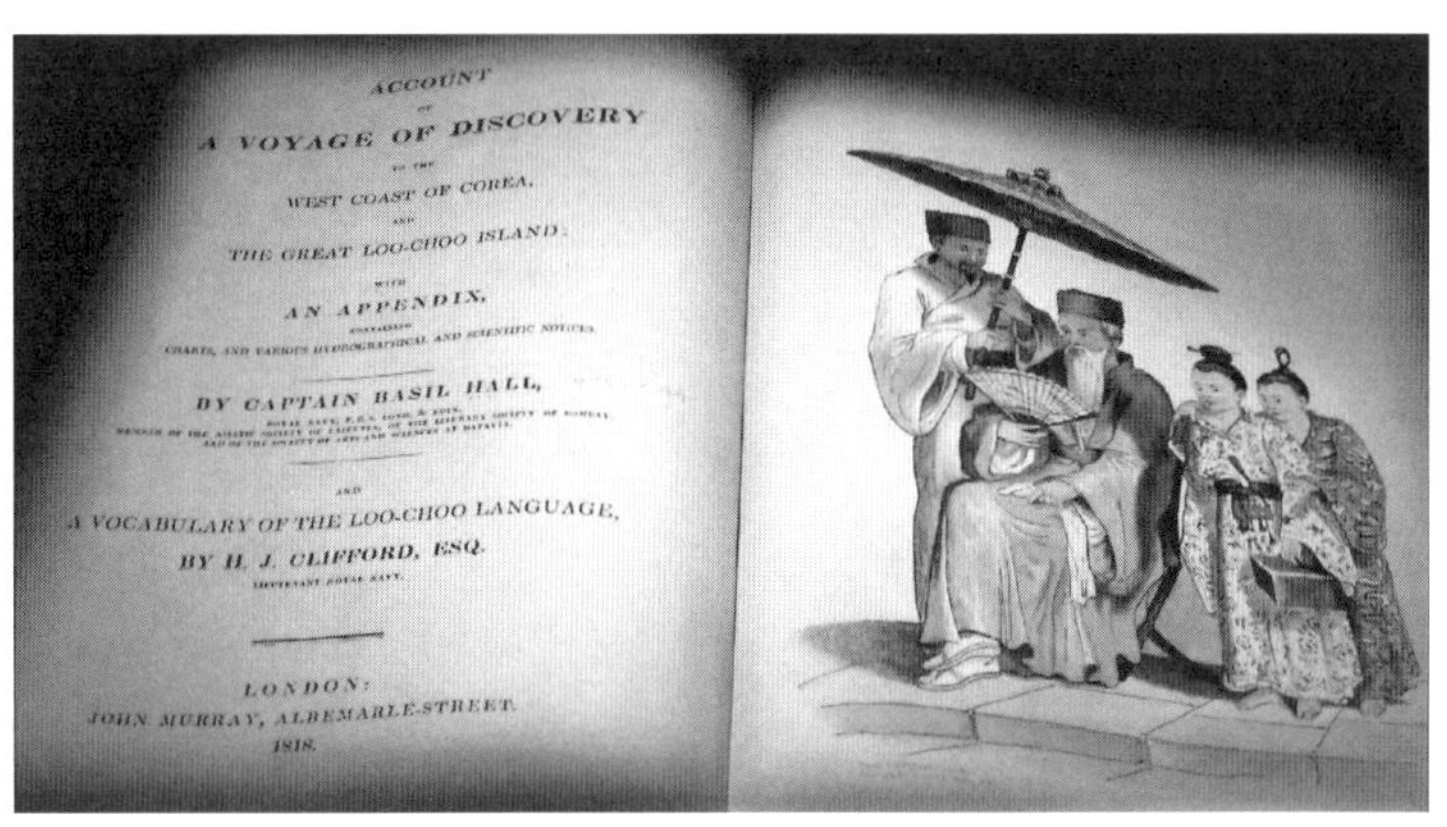
ACCOUNT
OF
A VOYAGE OF DISCOVERY
TO THE
WEST COAST OF COREA,
AND
THE GREAT LOO-CHOO ISLAND:
WITH
AN APPENDIX,
BY CAPTAIN BASIL HALL,
AND
A VOCABULARY OF THE LOO-CHOO LANGUAGE,
BY H. J. CLIFFORD, ESQ.
LONDON:
JOHN MURRAY, ALBEMARLE-STREET.
1818.

『バジル・ホール航海記』の挿絵

の身であったフランスの前皇帝ナポレオン・ボナパルトと接見しているのだが、その時の会話が航海記に出てくるのである。

> 琉球の人々が武器を持たないと聞いたときほど、ナポレオンが驚いたことはなかった。彼はこう叫んだ。
>
> 「武器を持たないだと。大砲もなく、小銃すら持っていないのか？」（中略）
>
> 私は、私たちが観察し得た限りにおいて、島の人々は戦争をしたことがないと申し上げるのみです、と答えた。そして、そうすることで人々は対内的にも対外的にも平和な状態を維持してきたのだと伝えた。「戦争がないだと！」ナポレオンは軽蔑するような、信用できないといった表情を浮かべて叫んだ。「この太陽の下で、戦争を知らない人間がいようとは、とんでもなく特異なことだな」

---

この『バジル・ホール航海記』によって、琉球は広く欧米に知られてゆく。

四半世紀後の一八五二年、日本開国の拠点とすべく琉球にやって来たマシュー・ペリーもまた、この航海記の読者の一人だった。彼は、琉球の城跡（グスク）もつぶさに観察し、必ずしも琉球が常に幸福で平和ではなく、バジル・ホールの記述には誤りもあるとしながらも、「我が艦隊の詳細な調査によれば、琉球島民は温和で正直であり、そうした人情に違いはない」と『日本遠征記』に記している。この琉球の人々の生き方こそ、のちに二〇世紀の「命（ぬち）どぅ宝」にも連なり、受け継がれていった価値観だと思えるのである。

「琉球処分Ⅰ」は、ペリーによる開国の圧力に屈し、一八五四年に日米和親条約が結ばれてから約二〇年後に本格化する。大日本帝国は、陸軍の熊本鎮台（ちんだい）分営隊の軍事施設を琉球に設置する方針を打ち出し、それを受けた琉球政府は、「琉球は兵を置かず、外国船が来航した際も専ら対話によってのみ応対し、今日まで無事に過ごしてきた。新たに明治政府による兵営を設置するようなことになれば、それだけ外国からも強硬手段に訴える圧力が増し、困難な状況になってしまう」（一八七五年「琉球政府による大日本帝国熊本鎮台分営隊設置への意見書」概要）と反論するのだが、それに対して明治政府の琉球処分官だった松田道之は、「それは琉球をひとつの独立国とみなし、独力で他国にあたる責任を持つかのような論である。琉球防衛は琉球だけの問題ではない。日本全国の問題として防衛に当たる」と返答している。この考え方は、現在の沖縄に対する日本の防衛方針と根本的に何ら変わるところがないように私には思える。

松田の返答書からうかがえるのは、それまでアジア地域の秩序となってきた中国の冊封（さくほう）体制から脱して、西欧型の「一等国」を目指して立国しようとした大日本帝国の「遅れてきた帝国主義」ともいうべき姿勢である。それは「万国之津梁」として機能してきた琉球を中国から切断し、日本の防衛戦略の先端に位置づけようとするものだった。結局、熊本鎮台分営隊の兵営は、現在の那覇市古波蔵の一八七〇〇坪におよぶ土地の接収によって設置された。

このようにして、一八七二年の琉球藩設置に始まり、一八七九年の琉球藩解体と沖縄県設置による「琉球処分Ⅰ」が起きたのである。

## ❖日本の「防波堤」となった沖縄

「琉球処分Ⅰ」で明らかになった明治の大日本帝国防衛方針に対する沖縄の懸念は、「琉球処分Ⅱ」に当たる昭和のアジア・太平洋戦争における沖縄戦で現実のものとなった。それは、多くの歴史学者も指摘するところの終戦工作を有利に運ぶための時間稼ぎであり、「本土」攻撃を遅らせるための、いわば「捨て石」としての消耗戦であった。

沖縄戦そのものについての文書や、取材で出会った数多の言葉については詳述する紙数がない。ひとつだけ、ここで戦時中の日本政府が沖縄をどう扱おうと考えていたかを象徴的に示す証拠をあげるとすれば、沖縄戦のあと、敗戦必至の七月に開かれた最高戦争指導者会議で議論された和平交渉案になるだろう。

そこでは、和平調停を受け入れる際には、戦後の日本の国土は「止むを得ざれば固有本土を以て満足す」、つまり、国土を「固有本土」のみにされてもやむを得ないとしているのだが、その「固有本土」がどこであるかが交渉案に続く「解釈文」で明らかにされるのである。

「固有本土の解釈については、最低限沖縄、小笠原諸島、樺太（からふと）を捨て、千島は南半分を保有する程度とすること」――つまり、沖縄は戦時中、軍事上の「防波堤」とされ、外交上は「捨て」るという位置に置かれたのだ。

こうした「本土」による沖縄の位置づけは、戦後処理の過程においても変わることなく、新たな形をもって表面化する。それが「琉球処分Ⅲ」に該当する時期である。

### ❖「国体護持」「平和憲法」「沖縄要塞化」のトライアングル

壊滅的敗戦を経て、日本はＧＨＱの占領下に置かれた。日本国憲法の草案作成に関わったＧＨＱ民政局のベアテ・シロタ・ゴードンさんに伺ったところでは、戦勝連合国の多くが天皇の戦争責任を問い、その処断を強く求めるなかで、ダグラス・マッカーサー最高司令官は戦後処理を円滑に進めるために、明らかに天皇を利用しようと考えていたという。天皇に累が及ぶことを避け、その存在を温存するためには、日本が再び天皇に忠誠を誓い狂信的な戦争を引き起こす可能性を、実効的に断つ装置が必要だった。これについて、日本の戦後政治史研究で知られるマサチューセッツ工科大学名誉教授のジョン・ダワーさんは、私のインタビューに答えてこう語っている。

当時の文書を見れば、アメリカ側が、天皇の問題と日本国憲法第九条を切り離すことはできないと考えていたことは明らかです。彼らは、日本に対して、第九条を受け入れなければ天皇を守ることはできないとはっきり言いました。占領初期の数年間、日本の保守派は、昭和天皇個人がどうなるのか、また天皇制全体がどうなるのか、とても心配していました。彼らが天皇制を守ろうと願えば願うほど、第九条に関してアメリカ側は「とにかく言う通りにしておけ。我々の改革に従え」と言うことができました。ですから、象徴天皇制と第九条の平和主義（武装放棄）の条文は最初から結びついていて、切り離せないものなのです。

---

そのように構想された日本国憲法は、一九四六年六月から開かれた国会で審議され、最終的には圧倒的多数の賛成をもって可決されている。しかし、その国会の場に沖縄県選出議員は一人もいなかった。前年末の選挙法改正によって、沖縄県民や旧植民地出身の台湾人や朝鮮人などの選挙権は停止されていたからである。かつて「非武の島」として知られ、沖縄戦で辛酸を嘗め尽くした沖縄の人々にとって、平和憲法の理念はまさに自分たちのものであったはずだ。しかし、その憲法の論議に加わることも許されず、第九条の適用範囲からも外された。外されただけではない。日本が平和憲法を柱に経済復興に邁進する一方で、戦後の沖縄は「東西冷戦」という新たな現実に備える「防波堤」としての役割を担わされてゆくのである。

それでは、憲法の成立とともに守られた天皇自身は、戦後の沖縄をどう見ていたのだろうか。

それを示すのが、前述したいわゆる「天皇メッセージ」である。一九四七年に宮内庁御用掛であった寺崎英成（ひでなり）が占領軍政治顧問部のウィリアム・シーボルトに伝えた天皇の希望と見解は、主要部分を抜粋すると次の通りだった。

---

天皇は、アメリカが沖縄その他の琉球諸島の軍事占領を継続するよう希望していると言明した。

天皇がさらに思うに（中略）アメリカによる沖縄の軍事占領は、日本に主権を残存させた形で、長期（二五年から五〇年ないしはそれ以上）の貸与をするというフィクションの上になされるべきである。

それによって他国、特にソビエト・ロシアと中国が同様の権利を要求するのを差し止めることになるだろう。

---

この前年、皇居前には二五万人が押し寄せた大規模な食糧メーデーが行われている。戦後の日本が左傾化し、かろうじて保たれた国体護持に危険が及ぶ恐れもあった。

一方、ソビエトと対峙するアメリカでも、陸軍省で日本の再軍備計画が立案され、日本国憲法第九条の見直し論が高まっていた。「天皇メッセージ」の翌一九四八年、マッカーサーは国務省ジョージ・ケナン政策企画室長との会談記録で、自身の考えをこう述べている。

もし我々が外部攻撃から日本の領土を防衛しようと思うのであれば、陸軍や海軍よりも第一に空軍を頼みとしなければならない。沖縄に十分な空軍力を常駐させておけば、日本を外部攻撃から守ることができる。それゆえ、沖縄に軍隊を駐屯させることで、我々は、日本本土には軍隊を維持する必要なしに、外部侵略に対して日本の安全を確保することができる。

要するに、沖縄を軍事要塞化さえすれば、日本「本土」は平和憲法を変えてまで再軍備する必要はないということである。一九四九年の中華人民共和国建国、一九五〇年の朝鮮戦争勃発など東西対立と冷戦は激化の一途をたどり、日本でも警察予備隊から保安隊、そして一九五四年の自衛隊創設と、再軍備は着々と進行してゆくのだが、そのなかでも平和憲法は改定されることなく存続し、沖縄の米軍基地は拡大していった。情勢は、マッカーサーの見立て通りに進行していったのである。

つまり、戦後日本の左傾化を恐れた天皇周辺とアメリカの思惑が一致し、天皇制の存続という「国体護持」と、それとセットで生まれた日本の「平和憲法」、それを裏支えするための「沖縄要塞化」が、それぞれを補完しあう三位一体の、いわばトライアングルを形成しながら、戦後の国家構造を形作ることになるのである。この基本構造は今もなお続いている。

平良修牧師夫妻（辺野古新基地建設反対テントにて）

## ❖「復帰」は正しかったのか

一九五一年の日米安保条約調印により、戦後の占領から解放される日本と、米軍が引き続き統治する沖縄は、公式に切り離された。沖縄に「主権」は戻って来なかった。以降、沖縄には、米国防長官が米軍将校から任命する高等弁務官が着任した。高等弁務官は「沖縄の帝王」と呼ばれ、琉球政府行政首席の任命権を持つ絶大な権力者だった。

一九六六年、第五代の高等弁務官着任式に出席するように命じられ、その「祝辞スピーチ」のなかで怯（ひる）むことなく異を唱えた平良修さんという牧師がいる。

「神よ、願わくば、新高等弁務官が最後の高等弁務官となり、沖縄が本来の正常な状態に回復されますように切に祈ります」と、私は言ったんです。これは、軍事力をもって沖縄統治をしようとする権威のあり方に対し否を唱えます、だから今後は米軍とは一切協力はしません、米軍支配米軍統治は拒否します、という宣言にもなるわけですね。しかし、問題は、この祈りの言葉の中でですね、沖縄の「正常」な姿への「回復」ということを私は祈っているわけですよね。その時に私が考えた「正常」っていうのは何かといったら、異常な米軍支配から解放されて平和憲法の日本に戻ることだったんです。「正常」な姿というのは沖縄県の回復だと私は信じていました。しかし、その後、現在に至る沖縄の状況を見ると、今のような状態は本当に沖縄にとって「正常」な姿なのかということを、改めて私は今、問い直していきます。

---

これは、二〇一三年にインタビューしたときの言葉だが、平良さんは以後も、普天間飛行場ゲート前に立って基地反対を訴え続け、辺野古にも通い続けている。平良さんの言葉からは、当時の沖縄の人々が考えていた「本土復帰」「平和憲法の日本に戻る」という「正常な姿」の期待が裏切られたという痛切な思いがうかがえる。

この段階が、宮平さん言うところの「琉球処分Ⅳ」のフェーズである。

果たして「本土復帰」は正しかったのか。

沖縄県知事として日本政府と対峙した大田昌秀さんは、「復帰」当時から疑問を持ち、危惧していた人たちがいたことを、二〇一二年の取材で次のように語っている。

「平和憲法に帰る」というスローガンで復帰運動が始まったんですけど、実際には「日米安保条約のもとに帰った」というのが真相でしたね。実は復帰前、ハワイに移民した一世の人たちの中には、復帰に反対する人が多かったんです。日本に復帰したら自衛隊が入り込んできて重要なところを切り取るんじゃないか、居座ってしまうんじゃないか、日米両軍隊による共同管理下に置かれるような状態になるんじゃないか、という恐れです。果たしてこれが「復帰」なのかと。

大田昌秀元沖縄県知事

沖縄からハワイへの移民一世は大変な苦労を重ねた人たちであった。その彼らが恐れた未来がまさにその後の沖縄で起こったと、大田さんは言う。

沖縄の「復帰」が決まった背景には、日本の「本土」でも湧き起こっていた岸信介政権による日米安保条約改定への大規模な反対世論があった。アメリカは泥沼化したベトナム戦争の渦中にあり、沖縄からは連日ベトナムに向けて米軍機が飛び立っていた。沖縄は欠かせない軍事拠点だった。一九六〇年代にアメリカ側実務代表として沖縄返還交渉を担当したモートン・ハルペリンさんによれば、当時、日米両政府は、日米安保条約の存続のためには沖縄返還を急ぎ、いわばガス抜きをして安保反対運動を抑えるしかないと考えていたと言う。アメリカにとっては、沖縄に米軍基地を存続させるという目的のために、その条件を呑ませるために、沖縄の施政権を日本に返還するという、実をとる選択をしたということである。

第九条を持つ日本国憲法下の「本土」に「復帰」すると考えていた県民は、当然のことながら、平良さんや大田さんのように深い失望と怒りを抱く。沖縄本島最北端の辺戸岬に建つ「祖国復帰闘争碑」に刻まれた言葉は、まさにそれを言い表している。

---

一九七二年五月一五日、沖縄の祖国復帰は実現した。しかし、県民の平和への願いは叶えられず、日本国家権力の恣意のまま軍事強化に逆用された。しかるが故にこの碑は、喜びを表明するためにあるのでもなく、ましてや勝利を記念するためにあるのでもない。

## ❖「持続可能性」が問われる米軍基地

こうした「本土復帰」から半世紀の歳月が経つ。

この間、駐留米兵による数多の犯罪、それらの国内法による処罰を阻んできた地位協定問題、アメリカ本国では考えられない住民の生活を脅かす基地の運用、度重なる米軍機の墜落事故、基地土壌の汚染、騒音公害など、沖縄の人々が受けてきた被害や不安は数えきれない。まさに「琉球処分Ⅴ」と呼ぶべき苦難と不条理に満ちた時期が変わることなく続いている。

それらの事件事故、状況の詳細については、現場で問題の所在を追究し続けて来られた方々による本書第1章から第3章に譲ることとして、ここでは、私自身が取材の過程で出会った印象的な言葉を挙げておきたい。

最初は、米軍北部訓練場の縮小と引き換えに、ヘリパッドの集中とオスプレイの配備が行われたヤンバルの東村高江で反対運動を続けてきた農家、安次嶺現達さんの言葉である。二〇一一年、東日本大震災で福島第一原子力発電所が爆発し、故郷を追われた人々が多数出ていた頃である。

---

> 大震災で原発事故あったでしょ、今年三月に。福島からも東村に今、何家族かな、来ている人がいますよ。この頃、それも高江の現状と似ているなって思うことがあります。国のやること。そういう弱い所に、人が少ないところにもって行ってね、原発も基地も。中身は一緒だなと思いますけどね。危ないことはわかっているのに。

東京や大阪など「本土」大都市のために、「人が少ない」地域に危険がありながら「必要」だとされて設けられた原子力発電所も、国土防衛のために「必要」だとされ、地域によっては益々増強されてゆく軍事基地も、その根と構造は一緒だという思いが伝わってくる。もっとも大田昌秀さんに後にこの問題について伺ったところ、「福島と沖縄に確かにそういう同根の問題があるのは正にそうでしょう。しかし、まったく同じとも言えないんです。それは、原発受け入れを住民の意思で決めたところと、拒否し続けてきたのに基地を置かれてきたところ、ということなんです」と、静かに語られていたことを思い出す。

はたして本当に、今もなお、沖縄は国土防衛のために有効な「防波堤」たり得るのだろうか。アメリカで取材した軍関係者や政府中枢にいた高官のなかには、「沖縄はすでに軍事的には大きなリスクを抱える地域になっている」という見方をする者が複数いた。今となっては沖縄の軍事拠点としての地理的な重要性は失われつつある、むしろ「近すぎる」ことが問題だと言うのである。

「近すぎる」というのは中国と沖縄との距離を指す。二〇一一年、オバマ大統領が太平洋に展開する米軍の再配置の方針を打ち出した背景には、中国のミサイルの射程範囲が飛躍的に拡大した現実があった。中国から極めて近い沖縄に米軍を集中させておくと、わずか数発のミサイルによって瞬時に甚大な被害を受けることが明らかになり、沖縄の米軍をミサイル射程から離れたオーストラリアやグアムに移転する動きが始まったのである。

アメリカのアジア太平洋戦略の立案者であり、普天間飛行場の辺野古「移設」プランを推し進めた一人でもある元国務次官補ジョセフ・ナイさんも、そうした状況を踏まえて、二〇一四年、「中国のミサイル性能が高まっているにもかかわらず、普天間飛行場を同じ沖縄の辺野古に移設

# 高文研
## 人文・社会問題
# 出版案内
## 2025年

無名東学農民軍慰霊塔　韓国全羅北道古阜　（富士国際旅行社提供）

KOUBUNKEN
高文研
ホームページ https://www.koubunken.co.jp
〒101-0064 東京都千代田区神田猿楽町2-1-8　三恵ビル
☎03-3295-3415　郵便振替 00160-6-18956

この出版案内の表示価格は本体価格で、別途消費税が加算されます。

ご注文は書店へお願いします。当社への直接のご注文も承ります（送料別）なお、上記郵便振替へ書名明記の上、前金でご送金の場合、送料は当社が負担します。

◎オンライン決済・コンビニ決済希望は右QRコードから

【教育書】の出版案内もございます。ご希望の方には郵送致します。

◎各書籍の上に付いている番号は【ISBN 978-4-87498-】の下4桁になります。

するのは長期的解決にならない」という見解を表明するに至った。彼は、これに先立つ二年前、アメリカで私が取材した二〇一二年の段階でも、「基地の移設は長期的に持続可能でなければ意味がない」と、辺野古の基地建設について次のように述べている。

今でも私は、二〇〇六年の普天間返還と辺野古移設をパッケージとした「ロードマップ」は最良の計画だったと思っています。しかし、沖縄の人々の支持を得られませんでした。政治的な支持を得られなければ、長期的にそれは持続可能ではなく、計画は実現しません。日本政府は日米同盟の継続を願っているので、この問題を解決したいと思うでしょうが、民主主義の下では世論の支持が必要なのです。言い換えれば、一度や二度の選挙で日本政府が態度を変えるかもしれない計画に対して大きな投資をするのは道理に合わないということです。

アメリカの国益を見据えて日本の政策誘導を行う「ジャパン・ハンドラー」と呼ばれてきた彼が、ここで「民主主義」という言葉を持ち出したことには少なからず驚きを覚えた。しかし、沖縄の支持がないまま計画を強行しても、選挙によって日本に政権交代が起き沖縄政策が見直された場合、先行投資の意味がなくなるというリアリズムには首肯できるところがある。

## ❖「万国之津梁」としての道筋

アジアを取り巻く状況の変化によって、アメリカ国内で沖縄に基地を置く軍事的根拠が揺らいでいる現在、防衛論の側面から見ると今や意味を失いつつある沖縄の地理的条件は、しかし、別の観点に立てば、依然として本質的潜在的なポテンシャルを保ち続けている。琉球王国時代の国是であった「万国之津梁」としての沖縄の位置である。そのポリシーが極めて象徴的に現れたのが、最西端の島である与那国が立ち上げた未来図だった。

与那国を中心とする同心円を描くと、沖縄本島よりもはるかに台湾の方が近い。日本という概念に縛られると「最果ての島」になってしまうが、与那国を基点に考えると、台湾や中国大陸、東南アジアも含めた文化や経済交流の拠点になれる地理的優位性を持つ。それを活かして、「離島」が抱える医療不足や教育施設の衰退、経済や人口の減少に歯止めをかけようと生み出されたのが、二〇〇五年の『与那国・自立へのビジョン 自立・自治・共生〜アジアと結ぶ国境の島YONAGUNI〜』だった。

気候がよければ台湾が見えるという西崎灯台に私を案内してくださった与那国町議会議員の田里千代基さんは、与那国町が台湾との関係を築こうと設けた在台湾花蓮市連絡事務所の初代駐在員でもあった。「日本最西端の碑」を前に、田里さんはこう語っている。

これまで与那国は日本の「最果て」でしたが、実は日本の「最先端」になれると思っているんです。与那国と台湾、この間は一一一キロですよ。ここに交通がないというのが不自然なんです。医療や経済、教育や文化の交流。隔てる海から、結ばれる海へ。二〇〇五年の『与那国・自立へのビジョン』はそれを目指して作られましたが、日本政府はこの国境交流特区の構想を拒否したままです。国のハードルはきついですね。

我々が求めているのは、貿易をして町だけが儲けようっていう開港じゃないんです。生活圏確保のための開港なんです。国のすべての地方がひとつの基準だけで固まるんじゃなくて、それぞれの地域に合った方法で、ここは認めましょうというのがあっても良いのではないか。それが安全保障にも国益にもつながるし、あるべき姿ではないかと私は思っているんです。

---

与那国が立ち上げた未来へのビジョンは、二〇〇三年に施行された小泉純一郎政権による「構造改革特別区域法」に呼応するものだった。法案説明の国会において、小泉首相は、「地方公共団体、民間事業者がそれぞれの地域の特性に合わせて規制改革を通じた構造改革を進めることができるよう、地方公共団体から幅広く提案を受け付け」ると述べており、与那国はまさにそれに則った提案を即座に行ったのである。ビジョンを策定推進する協議会の座長を務めた琉球大学の島袋純さんは、『与那国・自立へのビジョン』に込めた思想をこう表現している。

日本人という排他的ないし閉鎖的なアイデンティティではなく、与那国の人間としてのアイデンティティ、沖縄あるいは琉球さらにはアジアの人間であるというアイデンティティ、そして日本人としてのアイデンティティという形で、複合的で重層的アイデンティティの構築、国家の相対化、国家間の暴力的な解決の徹底した否定が与那国の土台であり、その上に豊かな経済交流がはじめて築かれる。それが、経済のグローバル化、国家の社会経済的機能の縮小への与那国が必死で見つけ探り出してきた生き残り戦略である。

---

しかし、田里さんが語る通り、日本という国家の壁は厚かった。

与那国が提案した「国境交流特区」の提案は、結局のところ、国境を管理する税関や出入国管理、検疫の問題や実績不十分などを理由に却下され、その挫折が二〇〇八年から本格化する自衛隊誘致につながってゆく。島民が賛成と反対に二分される分裂状態が続くなか、二〇一六年には沖縄本島から西の地域で初めてとなる陸上自衛隊駐屯地が与那国島に開設された。豊かな自然が広がっていた牧場などは、数多くの自衛隊員が駐留する場所へと姿を変えてゆき、今では、レーダーによる周辺海域空域の監視を行う隊員とその家族およそ二五〇人が島の住民となっている。一七〇〇ほどの島の人口のうち、この数は決して少なくない。島の未来を決める様々な選挙においても、民意の結果を左右する割合だといえる。

二〇二二年の日米共同統合演習で、米軍は初めて与那国駐屯地を使用した。それとともに、国境地帯監視を当初の目的としていた自衛隊を、有事の際の迎撃用対空ミサイルの配備や電子戦部隊設置にまで拡大する計画も進んでいる。与那国だけではない。八重山諸島一帯に、国防の「南西シフト」が進行しつつあるのが現状だ。大田昌秀さんが語っていた「本土復帰」にあたってのハワイ移民一世の人々の危惧が思い起こされる。

軍事的側面のみがクローズアップされるなかで、しかし、与那国は二〇二三年の現在もなお、台湾との経済交流実現への支援を国に求め続けている。人と物の活発な交流こそが安全保障につながるという「万国之津梁」の理念と道筋を、沖縄は決して捨て去っていない。

## ❖通底する「構造的差別」

駆け足で見てきた五期に及ぶ「琉球処分」の問題を、私は様々な番組や拙著『クロスロード・オキナワ――世界から見た沖縄、沖縄から見た世界』（ＮＨＫ出版二〇一三年）に詳述した。併せてご高覧いただければ幸いである。

こうして、あらためて沖縄の歴史をたどってみると、数々の「琉球処分」が特定の時期の「点」ではなく、「線」として、途切れることなく連続してきたのだという思いに駆られる。時期は変わっても通底しているのは、新崎盛暉さんの言葉によれば「構造的差別」である。

私が考える「沖縄リテラシー」の核心は、実はこの沖縄に対する「構造的差別」という問題に対する認識と言っても良い。この認識が「本土」の人間に培われない限り、どんな政治理念や外交論理を弄(ろう)しても意味をなさないと思われる。「構造的差別」がどのように沖縄に押し付けられてきたのか、押し付けられているのかということを、まず知ることが必要なのではないだろうか。

これは、京都でお会いした「平和学の父」と呼ばれるノルウェーのヨハン・ガルトゥングさんが掲げる「構造的暴力」という概念にも通じているように思う。彼によれば、「構造的暴力」は、暴力の主体が隠れていて、日常的習慣的に緩慢に進行するところに特徴がある。そのため、瞬間的に大惨事が起こる直接的暴力とは違って目立たず、メディアも関心を示さず、注目もされず、問題の核心が埋没してしまうのだという。まさに沖縄はこの状態ではないかと思われてならない。

さらに「沖縄リテラシー」とは、沖縄だけの問題ではない。日本という国家のアイデンティティにも深くかかわる問題である。

近隣のアジアやアメリカから、沖縄と日本の関係はどのように見られているのだろうか。韓国と北朝鮮による二〇〇〇年の「南北共同宣言」において韓国側実践委員会の委員長を務めたソウル大学名誉教授の白楽晴(ペクナクチョン)さんは、二〇一〇年、次のように語っている。

---

> 今日の沖縄の人々が求めている目標は、私の知る限り、独立国家建設でもなく、連合国家建設でもないと思います。求められているのは、公正と平等の問題であり、日本政府が公正で平等な扱いを保証するような、広範で地域的な自治ということだと思います。それを達成するには、ひとつの地域に少しだけ自由を与えるという以上に、より根本的な国家の変化を

＝必要とするでしょう。

日本に必要とされているのは、「公正で平等な扱い」による「自治」の理念で、そのためには「根本的な国家の変化」が必要であると言う。この問題について、ジョン・ダワーさんは、さらに具体的に踏み込んで、自らの認識をこう述べている。

---

私は、現在のこの状況については、一九五二年に発効したサンフランシスコ体制までさかのぼって考えるべきだと思います。日本がアメリカに依存する体制に組み込まれ、中国や韓国といったアジアの国々との関係改善を後回しにしてきた結果、アジアから孤立してしまいました。沖縄が今も米軍基地の過重負担に苦しんでいるのも、アメリカ従属で戦後の問題を未解決にしてきたからではないでしょうか。今、私たちが目にしているのは、日本とアメリカのあまりにも強い抱擁です。アジアの国々と日本は今、どのような関係にあるでしょうか。日米関係があまりにも強化されたため、日本のアイデンティティとは何か、という本質的問題が立ち上がってきています。

---

現在の沖縄の状況は、日本の在り方への問いに直結する。それを検証するためには、戦後の日本を形作って来たサンフランシスコ条約の体制の再考が欠かせないという視点で、これは、日本

の主権にかかわる日米地位協定の問題にもつながってくる。ダワーさんは、ここまで考えないと、なぜアジアから日本が孤立したのか、その本質が見えてこないと言う。実際、取材で出会った日本に批判的な中国や韓国の多くの人が、沖縄には特別な親近感を抱いていた。それはどうしてか。実は沖縄がその理由を指し示しているのではないだろうか。

ダワーさんの言葉によれば、横たわっているのは「日本とアメリカのあまりにも強い抱擁」だが、二〇一一年の特集番組でダワーさんと対談していただいた沖縄と日本の近現代史を専門とするオーストラリア国立大学名誉教授のガヴァン・マコーマックさんの表現では、日本はアメリカの「属国」であるという。

「沖縄リテラシー」がなぜ必要か考えると、それが、日本という国家そのものの未来を問うことに直結しているからにほかならない。アメリカなど大国の視点から見ると、日本もまたひとつの島国である。米国立公文書館に残るアメリカのアジア太平洋戦略文書を調べると、日本列島全体を共産圏からの「防波堤」として位置づけようとしてきた歴史が露わになる。日本がロシアや中国という大国の隣に位置する島々からなる列島だと考えたとき、沖縄の問題は特殊で個別の問題ではなく、「本土」の人々にとってもまさに自らの問題であり、他人事とは言えない。沖縄が抱えている問題は、日本全体に波及する可能性が高い。それゆえ、私は、沖縄についての認識を深める「沖縄リテラシー」が、私たちの未来にとって非常に重要な指標になり得ると考えるのである。

また、「沖縄リテラシー」においては、歴史を学ぶ上で注意しておきたいこともある。メディアの表現も、学校教育の場でも、例えば沖縄戦については、単純に日本が被った悲惨な歴史として扱っていないか、日本の被害だと一括りにしてしまって伝える視点に陥っていないかという点である。日本が沖縄戦を強いた事実を抜きに、この問題は語ることができない。こうした事実が、「沖縄リテラシー」を高める上で、重要な課題になってくるのではないかと思える。

これは単に沖縄だけに留まらない。日本が植民地化した朝鮮半島や台湾の歴史を学ぶ上でも、欠くべからざる検証の論点であると考える。「ヤマト」と呼ばれる日本のマジョリティと歴史的に深い関わりを持つ、そうした人々の歴史を知らない限り、やがては、この国に生きる自らのアイデンティティを失うことにつながってゆくのではないだろうか。

## ❖「本土」のメディアが再考すべき「民主主義」

ここで思い起こすのは、佐喜眞美術館で開かれた沖縄についてのシンポジウムに招かれた際、パネラーだった私に投げかけられた、ある参加者の辛辣（しんらつ）な言葉である。

「あんたたちは沖縄なんかに来なくていい。東京で、日本政府が置かれた場所で、やるべきことをやってから来てくれ」

「沖縄を見に来るのはいいけれど、来る前にやることをやってから来てほしい」

これらの言葉は私に、取材者が通りすがりの「旅人」に過ぎないこと、沖縄の「代弁者」足り得ないことを強く自覚させる言葉として、今もなお深く突き刺さるとともに、ドキュメンタリーを作るということがどういうことか本質的なことを教えてくれているように思う。

また、ここから「本土」のメディアとしてやるべきことも立ち上がってくると思う。

「本土」のメディアは、沖縄について取り上げるとき、日米や日中の関係において、「こうすれば我々の安全が保てるのではないか」「そのために沖縄をどうするべきか」という視座からの議論が大勢を占めてきたように思われる。意識するしないにかかわらず、これは沖縄を「利用する」という姿勢に変わりはない。「本土」のメディアは、安全保障といった側面以外の、沖縄の可能性やそれを発展的に活かす道筋についてはほとんど関心を持たず、目を向けていないのではないか。経済的文化的にどうしたらアジアと私たちがつながってゆけるか考える上で、沖縄がどのようなポテンシャルを持っているのか、拠点になれるのかという視点からの検証が抜け落ちているように思う。

メディアのみならず、個人がＳＮＳや動画を自由に発信できる現在、国防脅威論を煽るような言葉も飛び交い、沖縄の人々が自分たち本位に国家に抗っているような印象を与えるメッセージも多い。私たちは、ここで踏みとどまって、「沖縄」「本土」という雑駁（ざっぱく）な二項対立の型に嵌められるのではなく、沖縄の人々が、「何に」対して抵抗を続けているのか考えなければならない。

ダワーさんが私によく話してくれたのは、「日本という国をよく考えてごらん。日本でいちばん民主主義が機能しているのは沖縄だよ。民主主義の根幹である民意というものをこれだけ大事にしている共同体はなかなかないんだ。民主主義とは何か知りたいと思ったら、沖縄に行った方がよい」ということだった。長く続く「琉球処分」の中に生きてきた沖縄の人々が抵抗しているものの正体は、民主主義を蹂躙する「構造的暴力」であり、その結果生じる「構造的差別」なのではないかと思われるのである。

放送メディアの役割を定めた「放送法」には、「放送に携わる者の職責を明らかにすることによって、放送が健全な民主主義の発達に資するようにすること」という条文がある。私たちは今こそ、メディアとして、この「民主主義」の意味を問い直さなければならない。私は、それは常に「小さな声」を丹念に取材し、その声を「大きな声」と同じ水準にまで情報量として高めて両者の公平性を保つことではないかと考えている。「民主主義」の本当の意味は、何でもいたずらに多数決原理に従うことではなく、むしろ数が暴力にならないよう、少数を尊重し、それぞれの主張や意見に耳を傾け、よく聞いて議論を尽くすところにあるのではないだろうか。

沖縄のメディアの方々に伺うと、「本土」メディアのなかで沖縄について伝える意思を持ち、記事にしているのは地方紙に多く、東京に本部本社を置いているような大メディアになればなるほど、それが失われるという印象を受けると言う。大メディアにいる者ほど、「民主主義」の本義から遠ざかっているのではないだろうか。この問題を、私は自戒とともに考えている。

## ❖映像メディアにとっての「沖縄リテラシー」

映像メディアにとって、「沖縄リテラシー」の核ともなる歴史へのアプローチは、沖縄戦から七八年が過ぎ、「本土復帰」から五〇年を迎えた今、ますます困難になりつつある。

私が映像の世界に入った三〇年以上前は、まだそれらの現場を体験した方々の肉声を撮影し、記録することができたが、今は直接証言を得ることが不可能に近い時代となった。私たちは今後、証拠文書や過去に記録された証言を頼りとしてゆかざるを得ない。

ここにおいて大切なのは、それらが改竄(かいざん)や破毀(はき)にさらされて消失しないよう、人から人へ、世代から世代へ手渡してゆくことだと思う。その意味において、映像をひとつの証言としてしっかりと記録し、残す努力を怠らないことが、「沖縄リテラシー」を持続可能なものにしてゆくため、映像メディアに課せられた大切な役割ではないかと考える。

放送に携わる者として危惧を抱くのは、番組におけるドキュメンタリーの割合が年を追うごとに減少していることである。現場のドキュメント映像によって構成される番組が減り、タレントのリアクションを織りまぜたり、バラエティーとしての「見せ方」に工夫を凝らす番組の比重が増えている。これは視聴者がテレビに何を求めるかにも関わる。疲れて家に帰ってまで深刻なものは見たくない、神経に障るようなものではなく気軽に楽しめるもの、あるいは環境ビデオのように邪魔しないものを求めたいという映像環境の変化も影響しているだろう。

しかし、私個人としての思いは、番組のネット配信やアーカイブ化が進みつつある今、これからの映像メディアの大きな役割のひとつは、記録性の高いドキュメンタリー番組を、一過性のフローの番組として流すだけではなく、読みたい人がいつでも誰でも借りて読める図書館の蔵書のように、書棚に揃えておくことではないかと思う。記録映像として貴重な手がかりとなるものを、一冊ずつ図書館に置いていくような作業が必要になるのではないだろうか。それが、これからのテレビ、私が関わるメディアとしての重要な責務のひとつになるのではないかと思われるのである。

時代の流れとともに、映像メディアが厳しい時期を迎えていることは間違いない。しかし、私は決して悲観はしていない。沖縄「復帰」五〇年という節目に、私は現在担当しているＥＴＶ「こころの時代」という六〇分のドキュメンタリー番組枠で、沖縄に取材した過去の「こころの時代」を四本並べてシリーズで放送した。佐喜眞美術館長の佐喜眞道夫さんと作家の徐京植（ソキョンシク）さんによる、ケーテ・コルヴィッツの作品を前にしての戦争と人間の尊厳についての対談、米軍高等弁務官に抗った平良修牧師のメッセージ、彫刻家の金城実さんが語る自らの人生、そして、作家の目取真俊さんへのロング・インタビューによる作品に込めた思いと現在への鋭い怒り――。早朝五時からの地味な番組であるにもかかわらず、ネット配信で見られた回数は驚くほど多く、その反響には大きな手応えを感じた。

また、これからの映像メディアを担う私の身近な若い世代のディレクターたちのなかに、沖縄の問題を正面から考えようとする者が数多く出てきていることにも希望の光を見い出す。彼らは、例えば辺野古の新基地建設問題についても、完成が危ぶまれるにもかかわらず、蒟蒻（こんにゃく）のように軟弱な深度九〇メートルの海底地盤に、かつてやったこともない杭打ち工事がなぜ行われようとしているのか、次々と莫大に膨れ上がる予算をかけてまで、なぜ行う必要があるのか、その理由を知りたい、検証したいという、人間として抱く率直で素朴な疑問から出発しようとする。近年では、奥秋聡ディレクターによる『証言ドキュメント辺野古』（BS1スペシャル二〇一八年）、『久米島の戦争〜なぜ住民は殺されたのか〜』（ETV特集二〇二二年）や、松本友花里ディレクターが上間陽子さんの活動を描いた『いのちが大丈夫であるように〜沖縄・夜を生きる少女たち〜』（ハートネットTV二〇二一年）などの映像は、今後の「沖縄リテラシー」のために大切な「蔵書」のひとつとなってゆくだろう。

　まだまだ皆が手に取るための「蔵書」は不十分で、「沖縄リテラシー」を目指す道のりは遠く険しい。私自身も、残された時間を、自らの生き方を問うための鏡として沖縄を見続け、記録し、刻んでゆきたいと思う。

◈むすびにかえて

# 沖縄の施政権返還とは何だったのか

●法政大学沖縄文化研究所 所長　明田川 融

## ❖沖縄をめぐる〝政治の言葉〟

本書は、法政大学沖縄文化研究所創立50周年記念シンポジウム「いま沖縄を語る言葉はどこにあるか―復帰50年目のジャーナリストたちの挑戦」がもたらした成果だが、その基本構想やタイトルを提案してくださった戸邉秀明氏（東京経済大学教授。沖縄文化研究所兼任所員）は、かつて拙著『沖縄基地問題の歴史』（みすず書房二〇〇八年）に関連して、現実政治の場で政治家や外交官があやつる言葉と、分析者があやつる言葉が「継ぎ目のない物語」となり、はてはそれを「歴史叙述の醍醐味とみなす価値基準」が知らず知らず内面化されていることに気づき、「背筋の寒くなる瞬間」があると述べられた。そして、そのような瞬間を共有するであろう政治史家として、私を評されたことがある。

もともと、米国を主力とする連合国が行った日本の「本土」の占領や、日米安保体制の生成・展開の歴史を研究することからはじめ、沖縄の、あるいは沖縄をめぐる政治史研究では〝新参者〟である私にとって、米国政府内で沖縄統治政策の立案・履行に携わる者や、日本政府の対沖縄政策担当者が用いた「排他的戦略的支配」「潜在（残存）主権」「ブルー・スカイ・ポジション」「核抜き・本土並み」といった言葉は聞き慣れないものであり、自明のものでもなかった。そのため、それらの言葉と概念を一つひとつ吟味し、それらが政治・外交、さらには研究という舞台で用いられるさいの問題性を問う必要が、不可避的に生じたのだった。

## ❖「潜在主権」と「施政権」

私が特に腑(ふ)に落ちないと感じたのは、沖縄に対する日本の「潜在主権」だった。一九五二年四月に発効した対日講和条約第三条が規定しているというのだが、同条には潜在主権の〝せ〟の字もない。おなじ領域条項でも、第二条は日本が朝鮮・台湾・千島列島などに対する権利等を「放棄」すると規定しているのに対し、第三条は沖縄・小笠原・奄美などの対象地域を日本が放棄するとは書いていないので、日本が潜在主権を保持しているものと解されている。加えて、講和会議でダレス米代表が行った条約案趣旨説明のなかで、沖縄等の処遇について最善の方式は「日本に潜在主権の保持を認め」、国連の信託統治制度を可能ならしめるようにする——米国がそのような信託統治提案を行った場合、潜在主権の保有者とされる日本は提案に「同意する」――ことだと言明した事実が、もう一つの論拠と解釈されている。

しかし、アイゼンハワー政権は成立早々に、そのような提案はしないことを決定した。提案もされていないのだから、もちろん国連がその提案を承認することもなかった（ただし、沖縄は米国を施政権者とする国連信託統治下に置かれたと誤解している者も少なくない）。米国は、ともかく講和会議を乗り切るために、国連による沖縄信託統治に言及したようだ。けっきょく、「このような提案が行われ且つ可決されるまで」、米国は沖縄などの島々の領域と住民に対して、行政、立法、司法上の権力（まとめて「施政権」）を行使する権利を有する、という講和条約第三条第二文章によって、米国が引き続き沖縄に対して施政権を行使することとなった。

## ❖米国施政権下の基地問題

名目ばかりの日本の〝潜在〟主権という擬制を前提として、実際には米国が施政権を行使した沖縄の二七年間は、苦難に満ちたものとなった。

五〇年代半ばの伊江島では、米軍が「地獄の鬼でもそういうような態度はとらない」ほどの暴力的態度で住民に対応し、伊江島は「血を以て分取」ったのだから、我々には「権利」があるという理屈で土地を力づくで収用した。おなじ頃、伊佐浜でも土地の強制収用が行われたが、立ち退きの期限を迎え不安げに収用予定地を見つめる住民の脇に立つ幟（のぼり）には、「土地取上げは死刑の宣告」と書かれていた。

米兵による女性への性犯罪は沖縄戦にともなう米兵上陸いらい絶えることがなく、五五年九月には、少女が嘉手納高射砲隊所属の米兵に拉致、強姦されたうえに惨殺されるという痛ましい事件が起きた。そのような事件が起きていても、そもそも米国施政下で、琉球政府の裁判所には米軍人や軍属に対する裁判権がなかったし、琉球警察の逮捕権および捜査権も著しく制限されたものだった。

米国施政下の沖縄では、空も静かで安全ではなかった。五九年六月には、石川市（当時）の宮森小学校と付近の民家に米軍のジェット機が墜落し、死者一八名（うち児童一一名）、負傷者二一〇名（同一五六名）をだす大惨事となった。また、初の公選主席が誕生した六八年一一月には、爆弾を満載したB52爆撃機が離陸に失敗、墜落・炎上し、負傷者一六名と建物三六五棟の被害をだした。この頃の軍用機騒音もすさまじく、嘉手納爆音防止期成会がまとめた六八年二月の測定結果によれば、七〇ホン以上の爆音回数は二二八〇件（時間にして七〇時間余り）に及んだ。さらに、嘉手納基地から漏出した航空機燃料による〝燃える井戸〟の事例、知花弾薬庫区域での神経ガス漏出事故など、基地公害も深刻化していた。

琉球政府の立法権については、住民によって選挙された議員で構成される立法院に属するとされたが、琉球の〝帝王〟高等弁務官には、立法院の可決した法案を承認せず、立法とさせない権限が留保されていた。そして、米国施政下の沖縄には、憲法をはじめ日本の国内法が適用されることもなかった――といって、米国の憲法が適用されるのでもない――「憲法なき」施政という有様であった。

## ❖施政権は返れど

そのもとで、その名において、基地問題を生起させてきたところの米国の施政権が日本に返還されて半世紀が経った。その間、基地問題について何も変わらないと言うのも、大きく改善されたと言うのも、いずれも正確ではないだろう。沖縄で米軍のプレゼンスに起因する事件・事故が起こるたび、日米地位協定をめぐって日米両政府は――沖縄県が求める抜本改正ではなく、実質的に日米合同委員会合意の作成や改定を意味する――運用改善で対応してきた。もっとも、近年は補足協定の締結という〝第三の方法〟に活路を見いだそうとしているようだが。

両政府はそのように弥縫(びぼう)的な対応に終始する一方で、すでに米軍専用基地のおよそ七割が集中する島で、さらに新たな基地を建設しようと美しい海を〝粛々と〟埋め立てている。最近では、陸に海に空に広大な演習区域を持ちながら、それに飽き足らず、区域外での演習を米軍は活発化させている。

米兵・軍属らによる性犯罪は施政権返還後も止むことがなく、二〇一六年四月に二〇歳の女性が嘉手納基地に勤務する元海兵隊員の軍属によって強姦、殺害された事件は記憶に生々しい。そうした米兵らに対する裁判権の問題、とりわけ容疑者の身柄の公訴前における引き渡し問題については、運用改善により日本側の要請があれば米側が「好意的考慮」を払うこととなったが、身柄が日本側に引き渡されないケースもあって実効性に課題が残る。

軍用機事故に関して言えば、二〇〇四年に起きた、普天間基地所属の米軍ヘリが沖縄国際大学に墜落した事故は、人口稠密地における基地の存在がいかに危険であるかを改めて人々に思い知らせた。関連して、このとき米軍は日本の警察・消防による検分を拒否したが、その根拠は日本「本土」がまだ占領下にあった時代に結ばれた取り決め（改定前の日米行政第一七条の三の（g））にまでさかのぼるものであった。二〇一六年には、普天間基地配備前から安全性を疑問視されていた垂直離着陸輸送機MV22オスプレイが名護市東海岸の沖合いに「墜落」する事故が起きたが、事故の原因究明と再発防止に不可欠な米軍による事故調査報告書は、多くの箇所が〝墨塗り〟されていた。

軍用機騒音もいまだに深刻で、とくに早朝深夜における離発着が起こす騒音は、基地周辺住民から静かな夜を奪っている。枯葉剤、エージェント・オレンジ、有機フッ素化合物といった基地に由来する有害物質の漏出は、かつての基地「公害」から、より広く環境汚染・破壊として捉えなおされている。

近年、沖縄県はＮＡＴＯ諸国などで行ってきた地位協定運用実態調査をも踏まえて、国内法、とくに航空法の適用によって、米軍機の低空飛行や危険・粗暴な飛行を規制しようと考えている。しかしながら、日本政府にそのような考えはなく、航空法特例法によって、飛行禁止区域・速度制限・最低安全高度の遵守などを定めた航空法第六章から米軍機を除外しつづけている（航空法という日本の国内法を米軍機には適用しない旨の日本の国内法が米軍機に適用されているというのは何とも可笑しな話だが）。このような仕組みのもとで行われている米軍機の飛行は、しばしば「わが物顔」の飛行と呼ばれる。

こう見てくると、米軍基地に起因するさまざまな問題をめぐって、施政権なるものは返還されて半世紀が経つが、肝心なところで問題や危険性は厳然と存在しているし、沖縄を含むところの日本の主権は一向に見えてこない。その意味では、沖縄における日本の主権は〝顕在〟化しておらず、いまだに〝潜在〟のままと言わざるを得ない。

## ❖沖縄へむける〝私たちの言葉〟

しかし、このような有様になっている原因や責任を日米両政府や米軍のみに帰すことは妥当ではないであろう。沖縄において日本の主権がはっきりと見えないことの、逆に日本の主権が棄損されていると見えることの原因や責任は、他ならない主権者である私たちにも大いにあろう。

沖縄出身で国際政治学の泰斗（たいと）である故宮里政玄氏はかつて、「潜在主権」は国連の通常の信託統治では大規模な軍事基地を国連が承認しないことを恐れた米国が、「潜在」であれ主権を日本が保有するのであれば、その同意の下に沖縄で自由に基地を建設できると考案したものだと指摘した。宮里氏はそればかりでなく、潜在主権方式には「日本の失地回復主義を抑える」という意図も込められており、「本土」にとっては沖縄に在日米軍専用基地の七割を置くことを認めても日常的に何ら支障も来さないので、「沖縄の犠牲の上にあぐらをかくことに慣れてしまった」と、厳しく論評したのであった。

今日、その「あぐらをかくことに慣れて」しまった「本土」の人々の多くが言うことは Not In My Backyard. である。米軍基地を根幹とする日米安保の必要性は認めながら、「うちの裏庭だけはごめんだ」という態度であり、言葉である。ようやく近年になって、いわゆる右とか左とかの政治的立場を越えて、沖縄の自由と平等を実現し、沖縄に対する「本土」の差別を是正する考案として、「沖縄の米軍基地を引き取りましょう」と声をあげ、それを実践しようという新たな民意の芽生えが感じられるようになった。

ただし、基地引き取り論を唱えたり、運動を行っている人たちはまだ多くはない。また、そうした人々に対しては、基地は沖縄にあるべきだと考える人たちから、あるいは、沖縄に要らないものは本土にも要らないと考える人たちから批判を浴びせられることもあるという。

対日講和が政治日程にのぼっていたころ、日本より先に米国と基地協定を結び、米軍基地を受け入れていたフィリピンの外相は、大規模な基地を受け入れろというのは「やっかいな要求」であると断言した。その厄介事を意識的であれ無意識的であれ、また、積極的であれ消極的であれ、沖縄に担わせ続けてきたという自覚が、「本土」の多くの人々の心に本当に生まれる日が訪れることを切に望む。そのための一歩は、私たちにとって安全とは何であり、そのために外国軍隊（の基地）は必要なのか否か、必要であるとすれば何処にどの程度必要で、どのように規制していくべきなのかといったことを、一人ひとりが自分事として深く考え、議論していくことであろう。

【筆者：あけたがわ・とおる＝一九六三年新潟県生まれ。法政大学法学部教授。法政大学沖縄文化研究所所長。専門は日本政治史。おもな著訳書に『日米行政協定の政治史』（法政大学出版局一九九九年）『日米地位協定』（みすず書房二〇一七年）、共訳『ヒロシマ　増補版〈新装版〉』（法政大学出版局二〇一四年）、監訳『昭和』（みすず書房二〇一〇年）などがある。】

法政大学沖縄文化研究所【叢書・沖縄を知る】

# ◆いま沖縄をどう語るか◆

## ジャーナリズムの現場から

### 執筆者一覧

◎はじめに：東京で「沖縄」を研究するということ
**大里知子**（法政大学沖縄文化研究所）

◎プロローグ：沖縄につながるルーツをたどる
**新崎盛吾**（共同通信）

◎第１章：日本復帰50年　誰のために何を伝えるか
**松元　剛**（琉球新報）

◎第２章：「復帰」で「聴き取られなかった声」
**謝花直美**（ジャーナリスト、元沖縄タイムス）

◎第３章：日本にとって沖縄とは何か
**佐古忠彦**（ＴＢＳ）

◎第４章：問われる「沖縄リテラシー」
**鎌倉英也**（ＮＨＫ）

◎むすびにかえて：沖縄の施政権返還とは何だったのか
**明田川　融**（法政大学沖縄文化研究所）

**法政大学沖縄文化研究所**

1972年に創設された法政大学の附置研究所。国内外の研究者を結ぶネットワークづくりに努め、東京における沖縄研究の拠点としての役割を果たしている。また、伊波普猷資料、楚南家文書などの貴重資料を所蔵し、沖縄関連の資料収集を進めつつ、社会に開かれた研究機関として、誰でもが利用できる閲覧室を常設している。

東京都千代田区富士見2－17－1
法政大学市ケ谷キャンパス ボアソナード・タワー21階
TEL03－3264－9393
E-mail：okiken@adm.hosei.ac.jp

法政大学沖縄文化研究所：監修【叢書・沖縄を知る】

**いま沖縄をどう語るか**
**ジャーナリズムの現場から**

●二〇二四年 二 月一〇日―――第一刷発行
●二〇二四年 六 月二三日―――第二刷発行

著　者／**新崎盛吾　松元 剛　謝花直美**
**佐古忠彦　鎌倉英也**

発行所／**株式会社 高文研**
東京都千代田区神田猿楽町二―一―八
三恵ビル（〒一〇一―〇〇六四）
電話03―3295―3415
https://www.koubunken.co.jp

印刷・製本／三省堂印刷株式会社

★万一、乱丁・落丁があったときは、送料当方負担でお取りかえいたします。

ISBN978-4-87498-871-8 C0036